VIERNES SOCIAL

Julián Varo

Viernes social

PLAZA Y VALDES
PyV
EDITORES

Primera edición: 2003

Diseño de portada: Imagogenia S. C.

Editado en México por Plaza y Valdés, S. A. de C. V.
Manuel María Contreras, 73. Colonia San Rafael
México, D.F. 06470. Teléfono: 5097 20 70
editorial@plazayvaldes.com

ISBN: 970-722-171-2

Impreso en México / *Printed in Mexico*

A Vidal y Nena

"Oración a Santa Flajelitos"

Santa flajelitos del cielo,
desde mi alma yo te pido
que aunque la cicatriz se logre
tú la abras con orgullo.
Que todo dolor acabado
con tu magia me lo engendres.
Flajelitos de los santos
hágase tu voluntad
para sufrir por ser feliz,
para saborear mi dolor
y gozar mi desangrar;
tu pesar también me anima
por si no tengo qué hacer.
Cúbreme con tu manto de espinas
y así exfoliar todo mi ser.
¡Dame felicidad!
¡Sacúdeme!
¡Diseca mi corazón!
Hazme pedazos el piso,
quiero caer sin razón.
Santísima flajelos,
los ángeles mutilados te cuiden
tanto como tú nos descuidas.
AMÉN.

Guadalupe Germenos

"Volar no significa nada.
¡Qué maravilla la sensación de caer!"

Gabriela Borunda
Balada del silencio

... La historia de mi marido se agota en dos párrafos; la mía se anula en una secuencia torpe de silencios mal entendidos. Juntos sumamos olvido e ironía. El primero, como personaje, podría escudarse en su condición masculina y en las exigencias sociales. Yo sostengo la teoría de que su cabeza, cual pozo vacío, está envuelta en una terrible oscuridad y, siempre ha sido terriblemente egoísta; ni el eco tiene cabida en…

No. Demasiado teatral. Muy rebuscado. Un buen cuento tiene que sorprenderte desde el principio. ¿Cómo le hago? El tema es tan simple; pero eres una mula mujer y quieres que este cuento sea autobiográfico. ¿De qué hablo? ¿Sólo de mi matrimonio? ¡Dios! me van a sobrar cuartillas. ¿Lo llamo el elogio de la síntesis?

Piensa, mujer, es un reto.

... De esa boca, que algún día fue el motivo de mis tribulaciones, hoy sólo salen frases huecas y repetidas... No, mejor: de esos ojos, que un día fueron el motivo de mis fantasías y tribulaciones… He aquí el precio por haber consumido tanta televisión cuando joven.

11

Vamos de nuevo: mi marido es un idiota... Eso no me sorprende ni a mí misma. Otra vez: mi matrimonio es una farsa... Demasiado común. Cambio de personaje, vamos más atrás: aunque rompa la regla de oro: pa' tras, ni para agarrar impulso:

... Corrían los míticos años cuarenta del siglo veinte, que ya huele a añejo, y una niña solitaria soñaba con tener su propio hogar pletórico de felicidad, lleno de niños, y con desarrollar las actividades que la enaltecían ante ella misma: guisar, limpiar y coser calcetines, pues en el fondo sólo quería hacer felices a sus padres y, si Dios se lo permitía, pertenecer a la sociedad como debe ser... Qué difíciles son los inicios.

Menos drama y más acción. Si no me apuro, la bendita cena no va a estar lista nunca... Uso demasiado el *no*, ¿será un síntoma de la neurosis?

... La mujer, atrapada en su imperio de cacerolas y fuego lento, sabía que la cena tenía que estar lista antes de las siete, pues de lo contrario su pequeño reino sería vilipendiado por la crítica de aquel que ostentaba, desde 1960, el título de su marido ante la ley y ante Dios... Hablando de Dios, ¡qué tarde es, por Dios! Todavía no me baño, ¿y la ensalada? Bien, gracias... Así podría empezar mi cuento, con las prisas y los deberes sociales de una esposa clasemediera mexicana. Eso es:

... Como todos los viernes desde hace 37 años, una mujer, digamos común, se afana por terminar la cena para recibir como se merecen a los distinguidos matrimonios Pérez Zozaya y Martínez Treviño, quienes le harán el honor de visitar esa humilde morada a fin de degustar las viandas que la mujer prepara con amor para que todo redunde en una ambrosía. El cariño que siente hacia las viejas amistades de su marido, y su devoción hacia sus deberes como mujer y esposa, la han convertido en una...

Aparte de cursi me estoy convirtiendo en una irónica recalcitrante. ¿Será un síntoma de senilidad? ¿Los viernes pregunto demasiado? Creo que sí.

... Matrimonio, dos puntos, sociedad legal de un solo hombre y una sola mujer, que se unen con un vínculo indisoluble para perpetuar la especie y ayudarse a llevar el peso de la vida, punto... Ya está, así voy a empezar el cuento, nada hay más impresionante que esa definición. ¿Dónde se ha visto tamaña estupidez condensada en tan pocas líneas? Qué pena, no sólo lo bueno viene en pequeño. Habría que poner un pie de página para que no me acusen de tendenciosa al repasar la definición: Código Civil, 1870. Eso asusta. Aunque me encantan esas palabras domingueras; "vínculo indisoluble", parece condena: ¡y el jurado decidió: cadena perpetua! Lo más parecido a una castración, toco madera. "Perpetuar la especie", ¿sin matrimonios se acaba la humanidad? ¿Reproducción controlada? ¿Pasan los siglos y seguimos sin aprender nada nuevo? El colmo es eso de «ayudarse a llevar el peso de la vida», ¡si la vida es ligera, lo pesado es el matrimonio! Hay que ser muy romántico y muy machista para escribir semejante definición.

A otra cosa, mariposa. Estas zanahorias me quedaron como puré. Ni modo, ya inventaré algo cuando me hagan la observación; bueno, si alguien tiene a bien romper la tradición de los viernes. La que seguramente va a objetar algo es la Güera, que siempre tiene un comentario en contra de mis cenas, aunque reconozco que nunca me lo ha escupido en mi cara; es toda una maestra para emitir comentarios venenosos a distancia... ¡El postre!, se me estaba olvidando... Todavía no se esponja. Lo bueno de la modernidad es que los hornos son inteligentes y te avisan si algo va mal; es una lástima que todavía no hayan des-

13

cubierto el circuito que activa la inteligencia de los maridos. La gente insiste en decir que la esperanza es lo último que muere, y sólo cuando los años se le vienen encima, se da cuenta de que las esperanzas son meros pretextos para sortear el día, nada más...

No te pierdas, mujer; el cuento, el cuento...

... Todos los días, la mujer conversaba en voz alta con su cómplice batidora mientras esperaba que su amado esposo apareciera detrás de la puerta, misma que se lo tragaba cada mañana para que consiguiera el sustento de esta familia pujante y representativa del país. Entre huevos y manteca, la mujer soñaba que su guiso arrancaría la sonrisa más grande del universo a todos aquellos que conformaban su entorno cotidiano, a pesar de que la envidiosa estufa estaba confabulada con la estridente licuadora para echarle a perder todas y cada una de sus buenas intenciones. Sin embargo, la mujer sabía que tenía aliados en ese espacio oloroso y lleno de anécdotas, en ese cuadrado fragmento de historia mujeril; rápidamente, con años de experiencia a cuestas, la mujer acalló los susurros de la estufa y puso a arder todas las malas conciencias que ahí habitaban. El aquelarre la invitaba a pecar, pero ella estaba bien educada: oídos sordos a la música impía, fortaleza para alcanzar la pureza. Luchar era un verbo común en sus conjugaciones y ella una amazona dispuesta a todo por sus seres queridos...

Ya me perdí.

¿Será culpa de todos estos años de silencio? No profundicemos, aún tengo muchas cosas por hacer. El betún, ésa es la clave del éxito.

Nada como un pastel de chocolate para cerrar con broche de oro una velada que promete ser inolvidable. ¿La pasta? Perfecta. La salsa, en su punto, y la ensalada, bueno, digamos que está lista. Una cena ligera por prescripción médica. Los galenos podrían ser los mejores aliados de una mujer casada, desde el principio del matrimonio deberían sentenciar: prohibido comer en casa tres veces a la semana, o a usted, señor, le pronostico una vida corta y dolorosa. Eso sí los pondría a pensar; bueno, a algunos. Estoy segura de que si nuestras comidas fueran causal de viudez la cantidad de mujeres encerradas día y noche para conseguir el objetivo anhelado sería superlativa. Adoro esa frase: ¡Dios mío, hazme viuda! Dios debería prestar especial atención a ciertas peticiones, sobre todo si provienen de mujeres con más de cuarenta años… Ésa podría ser una buena reflexión para el cuento: las horas-mujer que una casada consume en la cocina. Los números serían como un alarido. Una orgía numérica. Ni hablar de las repeticiones, sorprendentes: ¿cuántos huevos revueltos has preparado en tu vida? ¿Cuántas veces has tenido ganas de llorar porque no se te ocurre nada para cocinar? ¿Cuántas latas has abierto en tu vida? ¿Cuántas cebollas y tomates has picado para una salsa o un guiso? He aquí una encuesta nacional interesante. Laura Esquivel me hizo pensar por un momento que cocina y mujer podían ser una buena combinación. Pero mi parte romántica se me quemó en algún guiso o me la mataron las ondas del microondas... una codorniz rellena para excitar los deseos, sí, cómo no. ¿Dónde me olvidé de los desayunos cariñosos de cada mañana, las comidas tiernas, las cenas pasionales, las botanas como un flechazo? ¿En qué período de los treinta y siete años, con todos sus días, semanas y meses de mi matrimonio, se me extinguieron las buenas intenciones? Una vida cocinando; demasiado tiempo entre alimentos que no consumes tú. ¿Será que cada ama de casa, de aproximadamente cincuenta años de edad, preparó alimentos para la población de dos de los grandes estados de la república, durante su vida productiva? Hambruna existencial. Gula y egoísmo en el reino de los azulejos. Adoro estos papelitos amarillos autoadheribles. Títulos posibles. Ya está.

... La mujer sonríe de modo involuntario pues entiende que ya se jubiló como cocinera; no totalmente, es cierto, pero este retiro se lo agradece a sus hijos que ya emigraron, al colesterol de su marido y a que definitivamente sus neuronas se pusieron en huelga. El hacer comida ligera le disminuyó la carga de trabajo, pero de todos modos sigue en la cocina... Qué triste suena eso.

Pensemos en cosas agradables: un buen baño… Adiós cocina, regreso al rato.

¿Las flores? Ya. ¡El desgraciado mantel está en la tintorería! Qué bruta soy. Ahora sí: prepárate, mujer, a escuchar las quejas amargas de don Maximiliano Sánchez toda la noche. Ni hablar, o me baño o voy por el mantel. Ni cómo ayudarme. Más vale limpia que mal amantelada. ¿Existe esa palabra? No recuerdo quién dijo que todos los que presumimos de poder escribir tenemos el derecho de inventar palabras; ahí la dejamos.

... La mujer, presa de los remordimientos que nunca ha logrado erradicar de su alma, piensa en los reproches que su amado marido soltará como serpientes con plumas al momento que sus ojos detecten la falta, la omisión imperdonable que presenta una mesa desnuda, pelona, desértica, sin un mantel que la dignifique. Pero la mujer sabe que la queja, en su matrimonio, es el diálogo forzoso de cada día; el marido, como buen hombre, precisa transmitir sus culpas y sus corajes, si no es por la casa, será por su trabajo, y cuando ya no encuentra a quién culpar, pues regresa a ella, la que siempre escucha. Los amigos, fieles a todos esos años de convivencia, le dan la razón siempre a él…

Deberían vender inicios de cuentos en los supermercados.

Mejor me baño con calma, esta noche va a ser muy larga y necesito estar lo mejor presentada posible. Hoy es mi solsticio de matrimonio.

Ando muy acelerada. ¿Ando? Qué feo suena eso. Ando enamorada; ando, en eso ando; te juro que ando, pero no avanzo; ando no es gerundio, es una forma peyorativa de creer que vas cuando en verdad sólo estás estancada. La hora de Sor Juana llegó. Dichosa ella que no se casó. Según mi hijo, la décima musa era lesbiana. ¿Será cierto? Viéndolo con inteligencia, se podría entender, de aguantar a un machito a pernoctar con otra monja. A final de cuentas todas las amas de casa somos como las monjas, nada más que a nosotras se nos obliga a tener sexo y a aventar hijos al mundo, porque encerradas y comprometidas a obedecer ya estamos. Voy a enviarle una carta al Papa, igual le gusta mi reflexión y decreta otra celebración: el día de las madres y el día de las monjas casadas con mortales. Así, la venta de los artículos electrodomésticos aumentaría considerablemente. Es un ciclo perfecto. Incluso reactivaría la economía…

¿Seré la reencarnación de Sor Juana?

… Ella lo supo el día en que se vio frente al espejo cuadrado de sus sueños: su rostro era el de la Jerónima. Ya no había lugar para más suposiciones, el reflejo le gritaba: ¡tú, sí, tú, mujer, eres yo, que juzgué a los hombres con mi pluma, que atrapé al amor en unas redondillas que sonaban a victoria y muerte! Cuídate, mujer, tu marido es la reencarnación de Antonio Núñez de Miranda, mi fatídico confesor, mi censurador oficial, el grillete de mis sueños. La mujer se despertó por los escalofríos que le acuchillaban el cuerpo. Ahora lo entendía: la desobediencia era su camino, las piedras, las miradas de su obsesivo celador de conciencias; el grupo de amigos que conformaban un Santo Oficio moderno, la sombra que engañosa la invitaba a descansar. Qué suerte la mía –se lamentaba la mujer–, un confesor orate por pareja y la Inquisición en pleno por amigos. Mi juicio se acerca. ¡Culpable!, gritarán con gusto y mucho ruido. ¡Esta monja ha de arder por los siglos de los siglos en una hoguera chispeante de silencio y desprecio! Sí, los jueces son intolerantes, persecutorios, cargados de envidia, y yo soy todo lo que ellos no podrán ser nunca…

Ya lo decía Stendhal: "Desgraciado de aquel que se distinga por algo." ¿Y que si el personaje no fue monja en su otra vida, sino fraile dominico? Suena interesante. A ésos se les perdonaba todo, pero de cualquier manera se les metía al carril. Fray Agustín Cano, padre de la provincia de San Vicente Chiapa y Guatemala. ¡Uy, qué miedo!: Tú, pérfido mortal, si vuelves a dictar doctrinas nuevas, escandalosas, perniciosas y heréticas, se te va a condenar a tres mil quinientos cuarenta y nueve azotes más una ración considerable de… Ya estoy hablando como ellos, mejor me quedo con las monjas. Jerónimas, estoy con ustedes.

Tierra, toca tierra, mujer. A desnudarse. Rápido y sin ver. Si cuando somos adolescentes se nos advierte sobre el cuerpo y sus tentaciones lujuriosas, también deberían prepararnos para esta edad y los reflejos perniciosos: no te veas al espejo, hija, porque vas a deprimirte. Los espejos deberían venir con una leyenda, como los cigarros: el abuso de este producto después de los cincuenta es nocivo para la salud. Como dice Juan Manuel de Prada: "Crecer es deteriorarse."

Música, eso espanta las malas imágenes. Agua, ésa se lo lleva todo. Eso que ni qué. Canta, Liza, que la vida es un cabaret. Quizás un día de éstos termine por creerlo…

… La vida es un prostíbulo de quinta categoría en la orilla de una carretera que nadie transita, donde sólo los camioneros que no entienden de caminos rectos se detienen para ahuyentar los fantasmas de la noche; las mujeres, disfrazadas de lentejuela y carmín rojo, bailan y se carcajean como si eso fuera la mejor manera de crear un amanecer. Una de ellas, la que nunca se sienta, deambula con su cigarro eterno y busca sin buscar. Sus ojos, acostumbrados a la noche, saben que entre el humo y las simulaciones existe una complicidad cuyo lenguaje no domina aún. Esa mujer se llama…

No, parece guión de cine experimental. Muy denso, mujer, eso no vende.

Casanova: último salvavidas de la literatura para no ahogarse en la amargura. Ése podría ser el título de un ensayo. Santa y Naná: los meandros de la virtud. Ése se me antoja más… Nada como un poco de vapor para humedecer las ideas… Patético. Voy a terminar escribiendo como Corín Tellado. Al menos no sufriré por cuestiones económicas.

… Mientras tomaba su largo baño de sales y espuma, la mujer dejaba escapar de su boca la retahíla eterna de su pesar:

Viernes, al fin es viernes; bendito viernes, mi marido no tarda en llegar y como siempre, vendrá con sus dos mejores amigos y sus adorables esposas a la cena obligatoria de los fines de semana. Claro que ya habrán pasado por algún bar donde consumieron algunas bebidas alcohólicas, charlaron de lo más relevante de la semana, sonrieron como gente de mundo, y yo aquí, esperando, como todos los viernes, como el primer viernes que tuve a bien pasar con mi, en ese entonces, delgado y optimista esposo. Eso sí, en la luna de miel no hubo cenas con todos ellos; pero el precavido de Maximiliano me llevó a la playa un domingo y nos regresamos el jueves por la noche, para que al otro día conociera a sus maravillosos, sensacionales y ocurrentes amigos, que ya estaban casados y que no pudieron ir a nuestra boda porque les daba miedo llegar hasta Chiapas. Con eso de que era una selva y que todos los que ahí vivíamos éramos unos lacandones peligrosos; además, los medios de transporte eran inseguros, en la carretera te asaltaban y violaban, las horas de viaje eran interminables desde la ciudad de México hasta ese pequeño, minúsculo y oscuro punto en el mapa de la república denominado Tuxtla Gutiérrez; aunque fuera la capital del estado, estaba alejada de todo el mundo civilizado. Cuando supe sus pretextos los odié, es cierto.

Mucha espuma, así me gusta…

No se perdieron de mucho: fue la boda más aburrida de la historia casamentera de Chiapas. Reconozco que ni yo me esforcé en hacerla siquiera entretenida. Mi vestido era una oda a la simpleza. Creo que dejé un precedente en el pueblo, entre más sin chiste sea tu vestido, más monótona será tu celebración. Mi familia, discutiendo hasta por quién llevó más colados; la familia de él, bueno, su santa madre, que no tuvo más remedio que asistir a la boda de su único hijo, alejada de todos, viéndolos como si estuviera en una exposición de ganado deforme o en un circo de monstruos que la rodeaban, sorprendidos de ver tan cerca a una persona blanca y de ojos azules. Maximiliano cumplió con su papel, pues todo el tiempo me estuvo diciendo: ¡ya vámonos! Le urgía llevarme a la cama. O tal vez no quería seguir bailando; nunca le gustó la música de marimba.

Es más fácil hacer una lista de lo que le gusta que de lo que detesta: futbol y platicar con sus amigos. El muchacho es muy conciso. Eso que ni qué.

Y todo para pasar mi luna de miel encerrada en un cuarto de hotel, pero por una depresión tropical. Nunca en mi vida he estado tan cerca de enloquecer… Y llegamos al Distrito Federal. Sólo al poner sus pies en tierra chilanga Maximiliano volvió a sonreír; bueno, si a esa mueca se le puede llamar sonrisa. La forma como me miraron sus amigos la primera vez, a mí, la provinciana que había atrapado a su amigo, la chiapaneca, la que todos estos capitalinos creían que no podía hablar, casi casi la indígena que Maximiliano secuestró en la selva negra, me dejó en claro lo que pensaban de mi persona. Idiotas, ni siquiera se tomaron la molestia de preguntarme si entendía el español. Me hicieron señas como si fuera muda o retrasada mental; en eso consistió su saludo. Brillante presentación.

Debo evitar tanta queja, si no voy a acabar como mi mamá…

¿Oro o plata? Plata, definitivamente. El vestido se lo merece. ¡Hoy gran estreno, señoras y señores!, la mujer de Maximiliano Sánchez Valladolid estrenará esta noche vestido, zapatos, calzones, medias y un fabuloso collar de plata fina con una perla natural, que su abuela paterna le regaló y que nunca se había puesto hasta esta noche, hasta esta maravillosa noche de viernes invernal en la capital de la república mexicana…

¡Dios, cómo odio este clima!

Bailando en la ducha, danzando bajo mi cascada casera...

Sí, Maximiliano, siempre he sido buena para bailar; vendo caro mi amor, como la aventurera, y espero que alguien quiera pagar con brillantes mi pecado, y si Agustín Lara se nos cansa, brincamos con Paulina Rubio, porque así ha sido mi vida, pletórica de extremos... Agua, me encanta el agua, y no me importa que sea la moneda del próximo milenio o que me digan inconsciente despilfarradora, adoro bañarme por horas enteras al amparo de una lluvia caliente que serviría para pelar diez pollos juntos... No hay duda, la poesía está en todas partes. Shampoo, jabón con extractos de naranja, piedra pómez, no encuentro cómo atraparlos en un soneto, pero les prometo insistir... Pausa a la regadera. Miel de abeja, bien repartida en todo el cuerpo. Aceite para bebé. Encima, agua otra vez. fuera los restos. Lista. ¿Cada cuándo se bañaría Sor Juana?

Cada vez soy más rápida para vestirme. Bien por mí.

El toque final: un maquillaje perfecto, ligero y sin colores estridentes, propio de una señora casada, de una mujer que ya cruzó el umbral de los cincuenta... Hola, querido reflejo. ¿Estás lista? Sí, preparada para una velada llena de datos interesantes, como son los últimos escándalos sociales, la vida oculta de nuestros artistas favoritos, qué lata con la servidumbre, ¿qué hacer con los hijos que ya crecieron y que no quieren casarse como antes? Etcétera.

Qué bien la voy a pasar, ¡sí señor! Sonríe, reflejo, si no el maquillaje me va a quedar como máscara de payaso. Así, cooperando, eso es. Dicen que da buen resultado pensar en diamantes mientras disimulas la edad. Todo apunta para que esta noche sea la más divertida del año. Párpados, ¿listos? Ahora sí estamos coordinados. Ambas estamos felices por el resultado. Por mucho que fuerce mi sonrisa, siempre termino en el mismo punto. ¿Lo notaste? De mi seriedad habitual paso al gusto, de ahí a la alegría desbordante y termino en la ironía. Ahí está mi principio y mi final. La cabeza y la cola de mi serpentosa vida… Espejito, espejito, ¿quién es la mejor vestida y la más bonita de esta noche?

–Gracias.

¡Fresca como una lechuga! Sí, como una lechuga morena, algo delgada, demasiada flaca según Maximiliano; arrugada, con el cabello rebelde y sin una sola cana. Como las indias, diría la Güera. Lechuga sesentona; lechuga provinciana arraigada en el Distrito Federal por las excusas de su marido y la poca resistencia del vegetal provinciano que alguna vez soñó con ser una bailarina de ballet famosa.

¿Las lechugas sueñan? Quizá lo hacen como yo: muy en el fondo. ¿Te acuerdas? Los ojos del vecino, esas cejas interminablemente negras hacían que ahí existiera la profundidad. Era lo único que le podía ver; por más que me esforzaba, no lograba grabarme las líneas de su cara. Mayo, el hombre ceja, aunque era un niño de catorce años con los ojos mejor enmarcados que he visto en toda mi existencia. El de nombre de mes, el encargado de darme mi primer beso, lleno de vellos. Su boca tocó la mía, pero sus cejas rozaron mi cara y esa sensación superó cualquier emoción; anuló el efecto de su lengua o la humedad de una saliva con sabor a tabaco. Ahí estaba mi caballero en su brioso caballo sin color, dispuesto a cargar con toda mi humanidad y llevarme lejos, a su castillo morado y sus tierras anaranjadas. El primer beso, la primera decepción. Qué simples son los besos. Me quedo con las cejas. ¿Cómo mezclo cejas y cocina? Sería un inicio diferente.

¡Sonido de llaves! Alerta roja: ha llegado la hora de callar. Recuerda, mujer: habla para dentro, no duele tanto, siempre tendrás tu cabeza para dialogar. Es un viernes especial. Adiós, reflejo, nos vemos al rato. Tengo que atender a unas personas que han estado merodeando mi vida desde hace una eternidad. Después te cuento.

Sonido de llaves, mentada de madre. El señor se repite todos los días: su exactitud supera el concepto de rutina. Después de veinte años de vivir en el mismo departamento, sigue confundiendo las llaves; nunca sabe cuál es la correcta. Si la vida fuera como los vestidos, yo estrenaría una vida cada mes. Sonríe, mujer. La puerta se abre y… ¡ahí están! Sonrientes, como si compartieran los secretos de la vida y la felicidad, pero celosos de que algún intruso quiera robárselos. ¿Intrusa? Yo… Y ahí están las escaleras, al fondo, como un telón de fondo que me grita: ¡puedes hacerlo, mujer, huye! Cierra ya, Maximiliano, o me escapo de una vez por todas, no me tortures, cada vez que lo haces, entiendo más que mi edad es una muestra de ciclotimia barata. ¿Corro? Si los empujo, poco les va a importar; diez pisos recorridos por una loca que aullaba mientras descendía las escaleras: ése sería el titular de los periódicos. Lo más seguro es que echen doble llave en cuanto cruce ese marco.

Aquí viene la hora de los saludos; la mímica es un arte que estos defeños dominan a la perfección. Primero, mi marido: mano derecha a la sien, para saludar a su generala como es debido. La Güera: fuerza la comisura de tus labios para que simulen una sonrisa, soslayando tu verdadera intención. Adelante, niños, sin miedo, no muerdo. Ya estoy vacunada contra la rabia. La Chata, la siempre indecisa Chata; anda, mujer, tú puedes, abre la boca, salúdame… Está bien, lo intentaste. Sigue tu camino, entiendo: es mejor no decir nada. ¿Palmada en el hombro como si fuera yo el ama de llaves de esta casa? Fernando, por supuesto. No sé qué es peor, que me saluden, si a eso se le puede definir como un ¡hola!, buenas noches, ¿cómo estás?, ¿todo bien?, o que me brinquen. Francisco, con él salgo de dudas: éste ni se esfuerza, simplemente no me mira. Mejor, no quiero ni imaginarme las mañas de este chango para saludar.

¿Ya puedo retirarme? Gracias, qué considerados. A la cocina, mujer, alguien tiene que servir las botanas y no veo a ningún valiente que pretenda tomar tu papel.

Lata de cacahuates sin aceite, aceitunas bajas en grasas, papas fritas especiales para diabéticos: un menú de asilo. A eso podría dedicarme. Abrelatas, tazones, palillos, servilletas. ¡Por Dios, soy un robot! ¿Quién habrá programado este cuerpo para cumplir con los deberes sociales? Los años, por supuesto, ¡ay, niña, pareces nueva! Cada cosa en su lugar para que este androide no cometa un solo error y ahorre tiempo. La rutina y unas botanas. Me gusta como título. Fíjate en tus manos: ¡se mueven solas! Ya no te necesitan. Como los hijos. Probemos con los oídos. ¿Listos? Díganme, ¿qué están haciendo nuestros queridos invitados? Bien, muy bien. Maximiliano sirve las copas, mientras que los traseros de sus amigos se han dejado caer sobre el sillón de la sala. Juntitos, como si fueran triates. ¿No serán homosexuales reprimidos?… ¿Las mujeres? Localícenlas. ¡Claro!, refugiadas en una esquina de la sala, arrojando el humo de sus cigarros hacia arriba como si así expulsaran sus penas a lo alto, chismeando, reafirmándose lo que en la semana se contaron por teléfono: sí, es cierto, Güera, te lo juro, Chata, Dios es testigo, Güera, etcétera.

Afortunadamente la casa está decorada con puros ceniceros.

¡Madre de Dios! Esta casa parece garito. Qué brutos, apenas llegaron y ya están fumando, todos a la par. ¿Quieren que no los encuentre? ¿Tanto se odian entre sí que prefieren el humo como muralla que verse las caras? ¿Nervios? Les prometo que no les va a doler.

Niñas, parecen chimpancés. Sólo les falta espulgarse la cabeza. Aquí les dejo unas botanitas; no se preocupen por mí, si algo enardece mis días es escucharlas platicar. Chata, esfuérzate, sólo di gracias... Casi lo logras, pero, como todos los viernes, a la Güera le urge contarte la última queja del minuto. ¿Por qué se ponen siempre bajo esa palma, se sentirán protegidas o extrañan sus jaulas del zoológico? La palma me ha salido muy resistente, porque es difícil aguantar el humo de estas dos locomotoras maquillada. Está bien, me siento un rato para que no digan después que soy una antisocial.

... La mujer, quieta y sigilosa, se acomoda cada viernes por la noche entre los cojines mullidos como una gata vieja y se lame los bigotes mientras los demás hablan. A veces se pregunta, bueno, todo el tiempo lo hace: ¿por qué hay gente tan bestia en el mundo y tan cerca de ella? Lo peor es que esos primates gustan de llevar su imbecilidad como un trofeo, exhibiéndola con orgullo ante los demás. No hace falta, niñas –les suplica la mujer–. Ya con oler sus melosos perfumes de imitación puedo captar el mensaje: son brutas. Está bien, pero ¡disimulen! Así como maquillan sus tristes caras para que parezcan de dieciocho –de dieciocho años de no tener paz interna–, maquillen su estupidez. Alguna gracia oculta han de poseer. No creo que el matrimonio las haya afectado tanto.

¿Cómo me atreví? Pésimo inicio, descartado definitivamente.

Perdón niñas, claro que el matrimonio es una prueba donde casi nadie sale sin un trauma. Voy a poner atención, quizá me sorprendan con un dato interesante o la clave para mi cuento. ¿Vale la pena? No sé, pero si no pienso en algo voy a dejar caer mi cuerpo exánime justo aquí, en medio de la sala, y quizá por esta única vez se den cuenta de que sigo viva. Si estuviéramos en el siglo XVII las definirían como: "sumamente ignorantes, escandalosas, nuebas, origen de pláticas indecentísimas…". Ya me cansé. Niñas, vean este giro, ¿están listas?… ¿No les gustó? La mujer invisible que gustaba de bailar, buen título. Voy con los varones.

Este cuadro siempre se enchueca… Qué bonito, así me gusta, mis queridas violetas, orgullosas y con muchas flores; sigan, van bien. ¿Les llevo más botana a los patrones? Que engorden, a quién le importa ya.

¡Ay, pérfidos herejes, ciegos gentiles! ¿Insisten en que sea yo una muerta en vida atrapada en esta ciénaga que se disfraza de hogar? Ya lo decía doña Ofelia Guilmáin: "Muerta por dentro, pero de pie, como un árbol."

Me impresionan. Qué bien ensayado tienen su papel de machos preocupados por el destino del país, la familia, los extraterrestres, el bolsillo, su futuro en el banco –si es que hay alguno–, sus sueños. Ni los años han conseguido que avancen. Claro que, si lo pienso mejor, antes sólo hablaban de automóviles deportivos rojos, sus conquistas y los logros en el trabajo que los llevarían directamente a la presidencia del Banco de México. Hoy, al darse cuenta de que el sueño del deportivo tuvo que ser sustituido por uno de cuatro puertas y a muchos plazos, que sus amantes se esfumaron ante la inevitable realidad cotidiana y que gracias a Dios alcanzaron a subir dos peldaños en el organigrama, prefieren platicar de cómo la vida hizo hasta lo imposible para ser su enemiga número uno y la proveedora oficial de trabas y problemas que no estaba en sus manos resolver, ¡pobrecitos! ¿Soy cruel? ¡No! Tantos años de conocernos, tantos viernes de oír la misma plática. Eso sí, son fieles al ritual. Primera copa: los chismes de la oficina, terreno que conocen a la perfección: quién anda con quién, que si la secretaria de fulanito es pirómana, que el nuevo jefe es un pinche recomendado que no sabe ni leer. A la tercera ronda ya hablan de política: critican, atacan, despedazan. Se transforman en adivinos; mencionan estadísticas, rumores, y siempre conocen el nombre del próximo candidato. Todos tienen un compadre "bien parado". A la quinta, hablan de futbol.

... Futbol, esa palabra que encierra una cancha y muchos días aburridos, ha sido la piedra en el zapato de la mujer. Mediante un esfuerzo sobrehumano intenta soslayar las pláticas referentes al futbol, pues quiere evitarse la pena de vomitar encima de ellos; su madre le dijo alguna vez que eso no se hace con los invitados. Pero durante todos estos años ha resultado imposible detener tamaña repetición de datos; algunos comentarios se le han colado por los oídos y, aunque los escucha los viernes, el miércoles siguiente todavía ronronean en su interior. Esa euforia deportiva podría ser saludable si no estuviera salpicada de tanta prepotencia —piensa la mujer—, sobre todo porque cada vez que se habla de partidos, equipos y jugadores le dejan en claro que el coeficiente intelectual de los fanáticos, ha disminuido con el paso de los años. Lo que más mortifica y desespera a la mujer es escuchar que si Pumas es mejor que América, que si el equipo más sucio es Necaxa o que si Cruz Azul debería estar en segunda división, ¡como si eso fuera de importancia vital!

No logra comprenderlo. Ciertamente, es sólo un deporte, se repite ella a cada momento. No encuentra nada significativo en los juegos como para cambiar de postura: el futbol es una desviación, una pésima broma, nada más. Pero sus conclusiones no le evitan las agruras y ellos han hecho del futbol su religión, el motivo para subsistir, la razón de sus enojos, la oportunidad para gritarle al mundo que su fe se sustenta en un campo verde, en una manada de pies sin cabeza que harán todo con tal de lograr su loable propósito de meter la pelota en la portería contraria. Sus nuevos dioses tienen nombres extranjeros y su fanatismo hacia ellos es todo lo que necesitan para respirar con libertad. Cada vez que ella lo piensa dos veces se da cuenta de que lo peor no consiste en ver un partido con ellos o en tener que soplarse los disparates de los comentaristas, aunados a los estridentes ruidos de una masa enfurecida, no: lo peor es ese circo que le llaga la vida, ese deporte que se niega a morir y que crece como una enredadera sin control en las cabezas de los fieles que permiten su germinación al no poder con la rutina y la realidad. Necesitan evadirse, y el futbol es una droga efectiva. Desesperada, al borde de la locura, la mujer se deja caer de hinojos y suplica al altísimo: ¡Señor, ábreles los ojos, diles lo estúpidos que se ven al hincarse frente a su atrio de veinticinco pulgadas, con la mandíbula en el suelo y las manos retorcidas! …

Basta. Esto ya no tiene nada que ver con tu cuento. No te enojes, mujer. Si los romanos, que presumían de ser una civilización tan avanzada, contaban con un espectáculo sangriento para tranquilizar y embrutecer al pueblo, pues era previsible que en México, como siempre, les diera por copiar la fórmula extranjera. Además, tú sola no vas a poder erradicar los vicios de estos simios. Dejemos el cuento en paz, tengo que estar alerta.

Séptima ronda, me toca entrarle al ruedo. Hay que servir más botanas y agradecer su indiferencia con un movimiento de cabeza bien ensayado y una sonrisa de abnegación, que ni las mejores actrices de la televisión logran, comportándome como toda una ama de casa y esposa modelo, dándole motivos de orgullo a mi marido. Aquí estoy, ¡véanme!, revestida de humildad y cargada de modestia. ¿Me queda el papel?

Qué bárbaros. Gastar una noche como ésta en ver un partido que se jugó hace veinte años es una afrenta al destino. Lo bueno es que ya va a terminar el juego y pronto el señor gritará su consigna: ¡Negra! ¿Qué, en esta casa no hay comida? ¡Los invitados tienen hambre! Y la negra, dichosa por haber escuchado la voz omnipotente de su patrón, saldrá corriendo a servirles. Mientras eso sucede, regreso con las niñas.

Güera, ¿por qué sufres? ¡Ah!, se te descompuso la televisión. Qué pena. Sí, te entiendo. Es espantoso quedarse sin el sagrado aparato y darse cuenta de lo aburridos que pueden ser tu esposo y tu vida. ¿Ya probaste con Internet? Es muy parecido. Pero no te preocupes, no eres la única que se quedó fuera del círculo de la modernidad; te asombrarías si te dijera la cantidad de cosas que hay fuera, sí, fuera de tu mundo, aunque sería difícil que las captaras. Es cierto, no le des tantas vueltas: te es infiel. Exactamente desde el segundo día de casados. ¡Qué descaro!, lo sé. Ni siquiera esperó a que terminara la luna de miel. ¿Pero qué querías? Una noche le bastó para entender que eras frígida. Sí, sí, yo sé que no es tu culpa: para la religión el sexo es pecado. Él, por lo menos, cumplió con su parte. Ahí tienes dos horripilantes criaturas, fruto de su cooperación y favor; y cómo te has entretenido con ellos. Porque además de feos, heredaron tu minúsculo y poco funcional cerebro. ¡Ah, las penas! Sé lo que una mujer sufre en este mundo de machos. Somos unas víctimas. Qué papelito. ¿Te dijeron que anda con su secretaria? Lo dudo. Yo la conozco y puedo decirte que es una muchacha inteligente, que nunca cometería la locura de andar con el asno de tu marido. Escucha. Al principio tuvo una aventura con la recamarera del hotel donde se hospedaron, en tu fatídica iniciación. Sí, aquel tan bonito con vista al mar. Mientras tú estabas encerrada en el cuarto por tu alergia al sol, el muy ladino se traslado al cuarto de la fulana y ¡sobres! Qué soez se oyó eso, perdón. Continúo. Después, anduvo con la sirvienta que trabajó tantos años en casa de tus papás, la bizca, medio retrasada. ¡Pero niña!, ¿qué otra le pudo haber hecho caso? Bueno, también anduvo con tu vecina, una prima tuya de Monterrey –¿la estupidez es un mal de familia?–. Y ahora anda con tu mejor amiga. Sí, la que tienes sentada justo a un lado. Ésa que tan bien ensayado tiene el papel de indignada-íntima-solidaria amiga. Claro, ella dice ser más lista que tú, aunque yo no pienso igual: mira que hacerse amante de tu marido es peor que comer mole cuando se tiene diarrea. ¡Imagínate, encima de aguantar a su marido se va con el tuyo! Esta Chata tiene un severo problema de conducta. Seguramente es sadomasoquista. Las telenovelas le han distorsionado la realidad. ¡Ah!, olvidaba lo mejor. El único hijo de la Chata, ése que tanto presume su marido que es igualito a él y no sé que tantas sandeces más… ¡pues claro! Esos dientes de ardilla sólo pueden ser de tu marido, Güerita. Cuánto cinismo, aunque él sabe que es lo más similar a un aborto mal logrado, anda repartiendo su semilla por todos lados, porque éste no es el único. Al baboso le gusta presumir todos sus "regaditos". No es justo. Ya bastante gente jodida hay en el mundo como para andar cooperando con porquerías.

Chata, no le hagas tanto al teatro, por favor. Está bien que te gusten las escenas dramáticas, sí, como esas que le platicas a la Güera cada dos segundos y que siempre tienen el mismo final: dos concisos golpes de parte de tu amado esposo. Por cierto, ni con todas esas cirugías que te has practicado has podido borrar las huellas de tu pasión salvaje. Ya deja de azotarte con la Güera. No le des consejos, que quien los necesita eres tú. Lo sé, tú también sufres. ¿Pero quién te manda a tomar por amante al jorobado del cerebro extraviado? Está bien que cursaste sólo la primaria, pero no lo uses de escudo. ¡Ay, diosito! ¿Volverás a operarte? Niña, si te aumentas tres centímetros más ese busto no vas a poder caminar como la gente decente; digo, eso de arrastrarse por el pavimento resulta un espectáculo denigrante. Aprende de la Güera, quien lleva con mucha dignidad sus años. Es cierto que el tinte que usa para su cabello parece comprado en la ferretería; sin embargo, esa pintura vinílica que utiliza para restaurar su cara es de lo más innovador que conozco.

Me perdí, ¿qué discuten? ¿Qué la Chata demande a su esposo por golpeador? ¡Por Dios, Güera, ese macho no tiene remedio, desde que eran novios ya le pegaba! Además, a la Chata le encanta el amor rabioso, nomás acuérdate de sus pretextos para no dejarlo: a éste ya lo conozco; qué flojera empezar de nuevo; yo sé que va a cambiar pronto; en el fondo es muy buen hombre; no puedo dejarlo, ¿qué sería de él?, pobrecito; ¿qué va a decir la gente? Tendría que trabajar y no estoy preparada para eso. Es más, escucha con atención lo que te está diciendo en estos momentos; ese pretexto suena nuevo, pero es una mezcla de los anteriores, te lo juro… ¡Ya cálmense! Mejor ni me meto. Al rato se les olvidan sus estereotipos televisivos y pasan a la parte más sabrosa de la noche: el chisme. El desmembramiento de las vicisitudes de la vida y la gente. Miren que ustedes son descaradas. Ponerse a hablar mal de los demás, debería darles vergüenza; si la conocieran, claro está. Aunque hay que reconocer que es más fácil verle los defectos a los demás. Es hasta cierto punto un alivio, ¿no? Como si uno fuera el espectador de la pelea de lodo de los pobres.

Es cierto, sería tan interesante poder decírselos a la cara, en voz alta.

Ya se tardó el patrón. ¿Por qué no ha gritado? ¿Le dio un infarto? No, repitieron el final del partido. Ahí va. Uno, dos…

—¡Negra! ¿Qué, en esta casa no hay comida? ¡Los invitados tienen hambre!

Soy una buenaza, qué Alzheimer ni qué nada. Ahí voy, papacito, como siempre, calladita y obediente. No grites, a mi edad ya no se avanza tan rápido, deja que arrastre mi humanidad hasta la cocina. Si todas las mañanas me dices que cada día soy más anciana, pues sé coherente.

Aquí vamos. Primero la ensalada, no importa que tenga que dar tres vueltas para llevar la cena, para eso soy la mujer de esta casa. Seria más fácil tener todo puesto en la mesa y que cada uno se sirviera, pero eso le restaría puntos a mi marido, quien prefiere exhibir su poderío sobre mí; nada mejor que demostrar con hechos que él manda aquí. Cómo de que no.

Aquí regresa la esclava, apláudanle al patrón, un viernes más a su favor, otro más en mi contra. Y para que no se aburran, voy a escenificarles la danza de los vegetales. Vean cómo les bailo mientras sirvo los tomates, chequen el estilo mientras pongo las zanahorias. ¡Qué bárbara!, este pasito es nuevo, ¿lo notaron? Ya decía yo, el hambre les impide contemplar la función; está bien, lo dejamos para la próxima reunión. ¿Próxima? ¡Atásquense ahora que hay lodo! ¿Se fijaron que esta vez puse unos cubiertos que no conocían? ¿No? Bueno, ustedes son los primeros en usar la herencia que recibí de mis padres. ¿Les conté alguna vez cómo fallecieron? Me lo imaginaba. Entonces, mientras ustedes devoran la ensalada y platican de los viejos tiempos, les voy a contar el accidente estúpido que puso fuera del censo nacional de población a mis señores padres. Resulta que una noche tranquila de invierno, más o menos por estas fechas, pero hace ya unos quince años, mi madrecita adorada tuvo la brillante idea de que la mejor manera de ahorrarse unos pesos era usar un solo calentador y cerrar perfectamente las ventanas del cuarto más pequeño de la casa para evitar que una corriente de aire helado pusiera en peligro sus vidas. Como ella estaba acostumbrada a mandar en esa casa, mi papá ni chistó cuando le comunicaron las órdenes de esa noche. Así, los viejitos se encerraron en el cuarto de servicio, que no habitaba nadie porque mi mamá nunca quiso tener servidumbre, por aquello de los gastos innecesarios, y prácticamente tapiaron puertas y ventanas para que el calentador de gas rindiera a toda su capacidad. Y así fue, nada más que en vez de calentarlos los enfrió; a pesar de todas aquellas precauciones contra el aire nocturno. A mis papás los encontraron tiesos y, según cuentan, más fríos que una paleta. El olor a gas que saturaba esa habitación era tan fuerte que el doctor escribió de inmediato en su informe: intoxicados por inhalación excesiva. Yo me enteré de la partida al cielo de mis papacitos tres días después de que los enterraron. Como siempre mis hermanos se olvidaron de que en la capital de la república existía una hermana que, pese a sus deseos, tenía el apellido que la respaldaba como parte de esa familia. Cuando llegué –sola, por supuesto, ya que los innumerables pendientes de mi marido le impidieron acompañarme– encontré que estas piezas divinas de plata mexicana eran el legado que mis padres consideraron suficiente para la única mujer del clan. Cuando les pregunté a mis hermanos por las casas o el rancho, fui puesta de inmediato en un autobús con la amenaza clara de que yo era mujer y tenía un marido que me respaldaba, y que si se me ocurría dar una muestra más de ese egoísmo que me distinguió siempre iban a cortar la hoja del árbol genealógico que tenía mi nombre. Sin previo aviso me quedé huérfana; cuando intenté platicárselo a Maximiliano, éste me interrumpió con una retahíla de quejas que incluían desde el porqué no era yo capaz de hacer las cosas bien cuando no me acompañaba él, hasta el dinero que aseguró, con su cara de horror clásica cuando toca el tema de los billetes y las monedas, despilfarré en este viaje que no le redituó nada a la familia. Tierno, ¿no creen? Esas miradas, según mi diccionario mudo-español, significan que ya quieren pasta, y la petición tiene carácter de urgente. ¡Vamos, Negra!, no hagas esperar a los invitados, es de mala educación. ¿Puedo ir lentamente? Perdón, fue un lapsus brutus. La servidumbre a veces intenta rebelarse; ustedes comprenden, ¿verdad?

Pasta, y la salsa. Afortunadamente mi hija me regaló esta maravillosa charola que de plata sólo tiene el color, pero en donde todo cabe. Ella sí sabe cuál es el regalo ideal para una madre el diez de mayo: nada de vestidos caros o joyas, ya que el papá no la saca ni a la esquina; ¡cosas para la cocina!, eso es lo correcto, si no, estaría yo indefensa sin mis armas para el combate diario. Sin lugar a dudas, moldeé muy bien a mi hija.

¿No les falta nada, educación, por ejemplo, o esperar a que me siente? No, claro que no, ninguno tiene el valor para romper el hechizo. Coman, total, yo puedo hacerlo sola y ni quién se preocupe. Valla, parece que esta vez las críticas serán cosa del pasado. ¡Ups!, me equivoqué... ¿La salsa está salada? ¿Retención de líquidos? Ahora resulta que les preocupa la figura. Las sorpresas continúan: les gustó la pasta. Por mí, sírvanse toda la que quieran, yo no voy a comer. ¡Más pan! Qué bárbaros, en mi pueblo dicen: hay que ser cochi, pero no trompudos... Es cierto, nunca lo han escuchado. ¡Adelante, rellénense de harina! En fin, los dejo un segundo. Voy por el postre, que es definitivamente el plato fuerte de la noche. Y no me salgan con que están a dieta, que con esos cuerpos de tercermundistas y esas caras de arrepentimiento posmodernista sólo les queda tragarse lo que les voy a dar.

Estoy segura de que les va a encantar. Y ni se esfuercen con los piropos. Por fin comerán algo que les hará bien.

¿Cuántas veces he entrado en la cocina hoy? ¿Cuántas veces en mi vida de casada? ¡Madre de Dios!, ese número no cabe ni en la fachada del edificio, son como tres reencarnaciones juntas... Si fuera ciega de todos modos sabría qué están haciendo aquéllos en el comedor. Qué brutos, ¿no les enseñaron a cerrar la boca mientras mastican? La ópera del chiquero.

¡El pastel! Para todos ustedes, con mucho cariño. Y como soy una mujer educada a la antigua, respetuosa de los papeles que cada individuo desempeña en un matrimonio, dejo el pastel en la posición estratégica que me enseñó mi suegra: a una cuarta del brazo derecho de mi marido, a cinco dedos de distancia de la pila de platos para postre; para que, como todos los viernes, él sirva las rebanadas de mis multicriticados y abucheados postres, pero que nunca en su vida se han negado a tragar… Así se hace, Maximiliano, rebanadas grandes, en esta casa somos espléndidos. ¿Está bueno? Qué importa, ustedes limítense a comérselo; yo me quedo con esta porción de la ensalada que de milagro sobró.

¿Alguien en esta mesa es alérgico al chocolate?

Mi reloj se detuvo, bueno, lo detuve yo. La cuenta regresiva comienza a partir de este momento. Cinco, cuatro, tres, dos…

¿Y? Señores, les prohíbo que echen a perder esta velada con… Chata, creo que tu marido se siente mal. ¡Chata, se va a desmayar! Te lo dije. El colmo, me rompió el plato con su nariz. ¿O fue con su frente? ¡Levántale la cara para saber si hay probabilidades de salvar el plato! ¿No? ¿Y esa espuma que les brota de los labios? No me vean así. ¿Qué? ¿Una ambulancia? Desconozco el número del teléfono de emergencias, lo siento. ¿Qué? ¿Un doctor? Nunca lo he llamado yo, de esas cosas se encarga Maximiliano. ¡Madre del sagrado verbo! ¡Van a dejarme sin vajilla! ¡No la tiren al suelo, guarden la compostura, por favor! Ni se me acerquen, parecen perros rabiosos. ¡Ay, nanita! Mejor corro a la sala. No me sigan, ¡muéranse de una vez! ¡Dios, a mi edad y tener que jugar con éstos a las escondidas!; Ora pá la derecha, ora pá la izquierda, ¡me estoy mareando! ¡Uno menos! La Güera no aguanta nada. ¡Ah, qué tercos!, no voy a llamar a ningún doctor. Sólo conozco a un médico, bueno, conozco a un doctor en letras, pero es muy especial. ¡Uy!, éste se cayó muy feo. Ni modo, Güera, tu marido queda fuera de la jugada. Chata, por favor, suelta mi vestido, Chata, ¡me lo vas a romper! Maximiliano, ¡quítamela de encima! ¿Maximiliano? Ah, ya caíste; a ver si haces ruido, por favor para enterarme. Ahora sólo faltas tú, Chatita, ¿qué, la silicona funciona como antídoto? Veo que no.

Todavía se retuercen. Éstos creen que me pueden engañar; niños, la paciencia es uno de mis puntos fuertes. Vamos a ver, unas patadidas para cerciorarnos. Nada. Otras, digo, ya entrados en gastos. Perfecto. Ya está. Confieso que empezaba a preocuparme, se tardaron una eternidad en morirse y a mí ya me urgía hablar como la gente decente, sí, con mi garganta. No debería quejarme, tantos años guardando silencio son como una lección de sangre, pero soy terca y muy parlanchina. Desde niña fui igual, aunque mi abuela me decía: "Calladita te ves más bonita." Pero yo sabía que no era bonita, así que nunca creí en esas fórmulas... ¿Les digo algo? Fue emocionante; me di cuenta de que contuve el aliento mientras ustedes devoraban sus rebanadotas de pastel, y lo supe cuando volví a tomar aire y éste entró de lleno, fresco, apabullante. Pero contemplarlos era un gozo, parecían una orquesta bien coordinada por su director: la gula. Y yo intentaba seguir el ritmo de sus masticadas estridentes mientras hacía dibujos con el tenedor sobre mi plato de ensalada intacto. ¿Preparados? No se asusten, esta noche me toca hablar a mí, sí, a mí, la eterna silenciada, la que nadie pregunta ¿aún vives? Señoras y señores, he aquí mi historia.

¿Escuchan lo que yo? Vivaldi. Las cuatro estaciones, la misma sinfonía de todos los viernes para cenar, pero esta vez suena bien, ¿y saben por qué? ¡Porque están callados! Una obra de esa naturaleza requiere silencio, hacer mutis, limitar sus sonidos vocales para cuando termina la sinfonía, ¿entienden eso?

Lo dudo. Primero limpio este chiquero. Ya se los había advertido antes: el pastel les iba a fascinar. Reconózcanlo. Siquiera por una vez en su vida. Y aunque me costó trabajo convencerlas, niñas malcriadas –porque los señores le entraron con singular alegría–, a fin de cuentas se sirvieron doble ración. No hacía falta. Mis cálculos de veneno fueron exactos.

En el fondo sabía que no se iban a morir de modo fulminante, digamos, de forma hollywoodesca, aunque no me esperaba esto. ¡Miren nomás cómo me dejaron la casa! Al principio pensé que querían vengarse, algo así como la tromba desatada de peregrinos que intentan ajusticiar al ladrón con sus propias manos. Qué ilusa, ni cuenta se dieron de que yo fui la causante de esos retortijones en su estómago y la falta de oxígeno en sus cuerpos. Vaya manera de retorcerse, parecía que bailaban una danza antigua invocando a dioses o demonios; y tercos, todos contra mí, como si yo fuera la salvación hecha carne y hueso. Por cierto, eso de pedir ayuda a gritos le restó dignidad a su final. ¡Qué escándalo armaron! Ni para morir tuvieron clase. Pero valió la pena. Por fin los veo callados. ¡Uy!, qué feas caras, no me vean así. ¡Les hice un favor! Qué malagradecidos son. ¡Ay, ya dejen de mirarme tan feo! Mejor les cierro sus ojos... Qué duros. Creo que mis cálculos no fueron tan exactos. Está bien, a cualquiera le falla. ¿Qué? ¿Nunca se te quemó nada, Güera? Sólo eso me faltaba, ahora me presumen de perfectos.

¡Por Dios! Es la primera vez que uso veneno. Bueno, lo probé con el gato de la vecina; pero no es lo mismo, digo, por el tamaño. Porque en lo que respecta a coeficiente intelectual, debo reconocer que con el gato me costó más trabajo.

Déjenme recoger los trozos de vajilla. Cada vez que ustedes partían tan satisfechos y sonrientes, si no es que medio borrachos, ¿adivinen quién se quedaba hasta la madrugada levantando trastes y lavándolos? Esta noche el ritual sufrirá algunas alteraciones, por eso no puedo dejar de sonreír... Por decreto presidencial en esta casa nada se lava, todo se tira dentro de unas maravillosas bolsas de basura de adorable color negro. Sí, señor. Y la comida también, todo, menos mi pastel de chocolate. ¿Ven qué rápido es así? Como centro de mesa, para que no se vea tan pelona: el pastel.

Cada cosa en su lugar. Como debe ser. Gracias a Dios que tengo una lavadora grande, si no, me moriría del disgusto. Odio la basura a la vista. Ni con las bolsas se puede disimular su presencia. Llegó la hora de las máscaras. ¿Dónde las puse? Como decía mi papá: "Háblale a las cosas para que aparezcan". ¡Disfraces!, ¿dónde están? Claro, en la secadora. Ahora viene la peor parte: ¿qué carajos voy a hacer con los cuerpos? Lo reconozco, estoy dudando. La verdad es que me emocioné con la idea de matarlos. La alegría no me dejó pensar en otra cosa. Me levanté con una sonrisa, de ésas que son capaces de oxidar los aretes. No hay de qué preocuparse, la noche es larga y sueño no tengo. Creo que ellos tampoco... ¡Mis prismáticos de teatro!

Esta obra hay que verla con todo detalle. La escultura tiene un lugar para mí. Güera, qué bien luces a un lado de la ventana. Pareces figura hindú, un elefante de ésos de bazar de antigüedades. Siempre te gustó esa moda, con vestidos holgados y de colores chillones. Bueno, discúlpame, pero si no te clavaba a la pared me iba a pasar toda la noche acomodándote. Aprende a tu marido, a la primera quedó bien. Me salió igual al pensador de Rodin. Y por primera vez está a tu lado. Lástima que sea tan pelirrojo, desentona con mi idea. No es burla. ¿Qué quieres? Estoy de antojos. Chata, si no fuera por ese par de volcanes artificiales, o lo que es lo mismo, si no fuera por las reservas de silicona que distinguen a tu silueta, parecerías un angelito. Toda tú envuelta en sábanas, carísimas, encima de esa frágil mesa, regalo de mi suegra –que según ella era una pieza de mucho valor–, como si volaras. No pude hacer mucho por tu esposo. Sin embargo, me esforcé. Ahí lo tienes, a tus pies, tratando de alcanzarte, suplicándote que le des entrada en el reino de los cielos.

Marido de mi desgracia, ¡en qué acabaste! Por más que te acomodé, tu cuerpecito insistió en tomar esa ridícula posición, como siempre, en medio de todos, intentando ser el centro de los remolinos sociales, nada más que esta vez parece que el huracán te afectó. ¡Ya sé!, los voy a congelar para enseñarlos a las futuras generaciones: el monumento a la conducta humana. Los artistas somos temperamentales; dejemos que la noche transcurra y luego les trasmitiré mi decisión. Sí, Chata, lo que cubre tu falsa cara es una bolsa de papel decorada; odio el plástico, lo único que han hecho bien con el plástico son las bolsas negras de basura y los trastes para guardar comida. Hice las máscaras con mis manitas, una creación original, pinceladas con acuarela y rematadas con esos discretos detalles de hilo color plata. ¿Sabían ustedes? Qué van a saber. Pero para eso está su amiga que los va a ilustrar. De acuerdo con datos del INEGI... ¡no, Güera!, no es el de los indígenas, limítate a escuchar, por favor. Bueno, de acuerdo con el Instituto de Estadística, Geografía e Informática, en 1999 se registraron en México 250 000 divorcios. Lo peor es que la mayoría fueron con escándalo y agresiones. ¿Ven? Una pena menos. Porque el desprestigio social en una mujer que se atreve a dar ese paso es fatal. Ustedes, mis queridos hombres, se vuelven a casar sin mayor problema, pues sobran las desesperadas que harán cualquier cosa con tal de no quedarse cotorras. En cambio, nosotras tenemos que soportar las miradas libidinosas de todos esos tipejos que parecen animales en brama. Viéndonos como la próxima cama del día y sin compromiso alguno. Total, ya estamos usadas, a nadie le importa. Por eso, ¿divorciada? ¡Jamás! Seré viuda, que es más respetable. Aunque la mayoría se compadecerá de mí, sobre todo porque mis hijos ya tienen su vida hecha, entonces, sacarán sus conclusiones de acuerdo con su estrechez mental: a esta anciana o la mandan al asilo o se convierte en la pesadilla de los retoños. No se preocupen, ni pienso pedírselos, ni me voy a un asilo, todavía tengo la oportunidad de hacer una vida… Maximiliano, no te metas. La relación que llevo con mis hijos es mi problema.

Hay que tener un inconveniente extraordinario en las neuronas para asegurar eso. Yo sé que no pasabas ni los exámenes de sangre, pero no es un pretexto válido Maximiliano. Por si nunca reparaste en los detalles de tu familia, déjame actualizarte para que dejes de lanzar consignas sin conocimiento de causa. Tu hija, la que insististe en marcar con el nombre de tu madre, Altagracia, está casada, tiene unos gemelos que la torturan todo el día y un marido que es tu copia al carbón. Tu hijo, al que orgullosamente bautizaste con tu nombre, es gay, vive con su pareja desde hace cinco años y no pienso inmiscuirme en su estilo de vida. ¿Qué es gay? Homosexual, puto, maricón, joto, lilo o, como dicen en mi pueblo: mampo. ¿Te queda claro?... Eres un caso perdido, o sea, a tu hijo le gusta tener sexo con otro hombre… Sí, eso es, las mujeres no entran

en su esquema de excitación, le atraen los hombres. Punto…
No me salgas ahora conque te rompí el corazón. ¡Si era obvio!
¡Ah!, te preocupa el qué dirán. Pues deja de mortificarte: no
puedes hacer nada. Él tomó su decisión hace muchos años y
créeme que si le hubiera interesado tu opinión te habría pregun-
tado, pero nunca lo hizo, así que déjalo en paz; a final de cuentas es su vida. Y no es que me fascine la idea, mas no pienso
interferir en la felicidad de mi hijo. Además, tuve mis buenos
años para irlo asimilando. ¿Te acuerdas…? Olvídalo. Voy a
contártelo para que te enteres: cuando tu hijo Max tenía siete
años, mi tía abuela le preguntó qué iba a ser de grande. Y el
bombón contestó: bailarina o cajera. Casi se me caen los calzones. Lo bueno es que mi tía era sorda y sólo preguntaba como
parte de un formulismo. Discretamente le pellizqué el brazo y le
dije al oído: m'hijo, bailarín o gerente. La carita de mi muchachito me partió el alma y tuve que empezar a entenderlo. Esa
noche soñé que iba al supermercado y mi hijo me decía: ¿encontró todo lo que buscaba?... Cuando San Pedro me pregunte
lo mismo, voy a tener que ser sincera: sí, encontré todo lo que
busqué, incluyendo al imbécil de mi marido, mi propio silencio
y toda esa rutina que tuve miedo de romper hasta que casi en-
loquecí; sí, encontré que sólo matándolos iba a poder ser feliz,
y no tengo dinero para la propina del cerillo. Sin embargo, no
me fue fácil entender la preferencia de mi hijo. Afortunadamente existe material suficiente para empaparse del tema; casi todo
lo que leí me lo dio él. Eso sí, pasé por todas las etapas, por
ejemplo, al principio me negué. Es más, fue esa temporada,
que seguramente no recuerdas en absoluto, cuando creí que si
lo metía a estudiar karate o box las cosas podían cambiar, que
lo podía curar. Poco a poco me di cuenta de que ni mis mejores

intenciones iban a hacerlo cambiar. Era gay, con mi consentimiento o sin él. No, nunca tuvo una novia, si te lo dijo fue porque así se lo aconsejé yo. Tú nunca lo ibas a entender. ¿Qué podía esperarse de ti porquería enano, si te emocionabas con las series gringas que pasaban por televisión? Darwin hubiera dado su brazo derecho por tenerte como experimento. Eslabón perdido. Lo peor era cuando veías el futbol. Pudo haberme metido gol el vecino y tú hubieras pedido que me hiciera a un lado para ver a tus ídolos. No sé ni para qué me quejo, si me casé con un abogado. Mi abuelita decía: "Con tu marido vas a recibir tu segunda educación". Pobrecita. De haber sabido qué clase de tutor iba yo a tener, seguramente habría cambiado su frase. Pensándolo bien, fue mejor que no te metieras en el papel de profesor; no quiero imaginarme ese tipo de doble infierno. Es demasiado para un humano.

¡No te voy a poner delante del televisor, esta vez te toca escucharme!... ¿No dices nada? Tiene razón García Márquez: "El silencio es otro tipo de respuesta"… Creo que le faltó decir: el silencio es la respuesta más cruel. Está bien, te siento en el sillón. ¡Uy, niño, cómo pesas! Ojalá fuera de músculo, pero eres la oda a la grasa. ¡Puerco! Si te vendo como carnitas salgo de pobre.

¡Cristo bendito!, cuánta sabiduría brota de mi boca: ya encontré solución para uno. Ahora sólo me faltan los matrimonios invitados. ¡Ay, no!, el esposo de la Chata se ve muy angustiado. Está bien, un poco de dignidad a nadie le cae mal. Mejor al suelo. ¡Órale, pecho a tierra! Qué delicado. ¿No hiciste el servicio militar? Déjame acomodarte, para que parezca que estás nadando. Eso es, ¡arriba el deporte!

Necesito una copa.

Listo, ahora sí, voy a comenzar con mi infancia. No te preocupes, Güera, a tu vestido nuevo no le va a pasar nada. Aunque no sé de qué te angustias, sinceramente debería darte vergüenza, pareces quinceañera de pastel corriente. Pero no voy a darte clases de moda en estos momentos. Si no lo aprendiste cuando debías te fregaste. Qué mala fue la vida con ustedes. Sí, como dijera la chata bilingüe: "Life is a bad Joke". Te pasaste, diosito, ¿Por qué no los hiciste millonarios? Así les aligerabas la carga. Como decía mi madre: "Qué cruz tan pesada les pusiste." Puntadas de la vida, pero no se preocupen. Aquí estoy yo: su segunda oportunidad.

En fin, como les decía, bueno... todavía no les cuento nada, ustedes perdonarán, es la falta de costumbre, y no me estoy haciendo la víctima. Hace tantos años que quiero hablar que es obvio que me trabe. Ahí voy.

No me gusta que me retraten. Sí, odio que me tomen fotografías. Claro, como nunca me atreví a decirlo en voz alta, nadie se enteró; la ventaja es que siempre me ofrecí para tomarlas, así que me salvé más de una vez, pero cuando me tocó salir en ese estúpido recuadro el enojo arrancó de mí los peores pensamientos. Ésa que aparecía en las fotografías no era yo. Definitivamente había un error, es más, no tengo una sola foto donde salga yo. Siempre me disgustaron tus regalos, Chata. Ya sé, no estoy llevando el orden, pero se aguantan. Otra vez. Tus "detallitos", como los llamabas, se me hacían una burla, una broma de muy mal gusto. Eso de regalar cosas usadas es de pésima educación y una muestra inequívoca de que no sólo eras una miserable, sino que además mi persona te importaba un comino. Sí, me di cuenta, esas cremas que según tú comprabas en los grandes almacenes eran puro empaque, pura pantalla.

Claro, bastaba que rellenaras los tarrones con crema barata para que supusieras que me iba a tragar la idea de que me estabas regalando algo caro. No, niña, sé distinguir cuando algo es corriente o reciclado. ¡Por Dios, ni siquiera tuviste el cuidado de quitarle los restos de la antigua crema! También tus aretes de mercado y tus lámparas viejas eran una ofensa. No me los aceptaban ni como limosna, imagínate. Yo siempre los recibí como si fueran los regalos del año, pero todos los tiré a la basura. Tú, Güera, también tienes tu parte; nomás me acuerdo de lo que te voy a reclamar y ahorita te atiendo.

Primero voy con Maximiliano. Necesito ir en orden, si no al rato voy a estar toda hecha bolas. Marido. Esposo. Después de tantos años a tu lado te puedo decir con todas sus letras: ¡me caes tan mal!... Qué alivio se siente gritar algunas verdades. Déjame detallártelo, porque ya me gustó esto. No sólo es porque me ignoraste todos estos años o porque me considerabas una sirvienta de mejor categoría; esas pequeñeces las pude haber soportado si me hubieras dedicado, sí, ¡dedicado!, cinco minutos de tu atención, por un solo y pinchurriento día. Era tan fácil. Era tan simple, por Dios. Pero nunca te quisiste esforzar, para ti yo era un mal necesario, nada más, tu nana, tu segunda madre, tu pinche famulla, la encargada de tu ropa o tus comidas. Nunca, nunca fui un ser humano por el que valiera la pena que gastaras un segundo de tu precioso tiempo. Y eso no es todo, pero creo que es lo más significativo. No te preocupes, despues te haré una larga lista de todas las cosas que quiero decirte, para que te la lleves al infierno y la estudies en la bendita eternidad... Es cierto, ya la tenía escrita; de todos modos no pensaba dártela sino hasta ahora. Cada cosa la he ido anotando durante 37 años, diez meses, tres semanas, cuatro días. Y créeme que la lista está completa. Quizá te sorprendas, pero todas esas cosas pasaron.

Cambiemos de tema, es muy temprano para estas densidades. Hoy es mi noche, no quiero echarla a perder llorando… Necesito otra copa.

Espero que no les moleste que haya cambiado la música, pero estoy harta de escuchar las mismas canciones una y otra vez. Ya sé que para ustedes es una forma de aferrarse al pasado, de saber que un día fueron jóvenes. A mí me vale, puedo vivir con mi edad, con el presente y con la música que está de moda; no me pasa nada, no se me cae la oreja. Me choca eso de "en mis tiempos la música sí era música". Pendejos, todos dicen lo mismo, mi madre se quejaba de mis canciones y mi abuelo se quejó de ella, y así ha sido siempre, todos creen que "en su tiempo" las cosas fueron mejores. No es cierto, y tampoco duele aceptarlo. Simplemente, cuando se es joven se vive de otra manera, quizá más a fondo, pero eso no quiere decir que yo ya no esté en esta tierra, o que no pueda gozar lo que se toca. Los gustos cambian y el mundo no se ha terminado por eso.

Déjenme traer mi cuaderno, está en el trinchador, no me tardo… Claro que lo he anotado todo. No puedo ser tan soberbia para pasarle la tarea completa a mi memoria. Además, es más entretenido así. Les confieso que, por un momento, estuve tentada a decirles: déjenme traerles el diario de mi vida inútil, pero ya no tengo que excusarme, ya no…

Algunas veces, cuando releía estos garabatos, les juro que me sorprendía, parecía que otra persona había estado viviendo mi vida. Yo y las cosas que se relataban en los cuadernos, porque son varios, éramos de diferentes países, aunque al final de todas las letras volvía a entender que eso era una mentira piadosa.

Éste es el más nuevo y miren, está casi lleno. Aunque esté muy cansada o tenga mucho sueño, siempre relato las cosas que me pasaron o las que imaginé. Es lo único en lo que he sido constante.

Esta frase me encanta, es de un libro que terminé de leer hace poco… Sí Maximiliano, yo sí leo; a pesar de haber cursado sólo una carrera comercial, intento avanzar, conocer, no como tú, que sólo permeabas tu ocio hacia la televisión… Escuchen con atención: "El porvenir es más real que el presente." Lo escribió Sartre, después les digo quién fue él. La cosa es que me fascinó esa frase porque es muy cierta. Sí, yo los veía a ustedes muertos, siempre los vi así, aun cuando estaban vivos y decían tantas incoherencias juntas. La primera vez que reflexioné sobre ello me sentí mal; al rato se me quitó. Digo, yo no tenía la culpa, ustedes se encargaron de crear esa imagen en mi cabeza. Ese libro de Jean Paul Sartre fue como un detonador de mi destino. En una parte dice: "Mi verdad corría el grave riesgo de ser para siempre la alternativa de mis mentiras." Cuánta verdad en tan pocas letras. Esa oración cimbró todo mi interior; fue como si unas tenazas gigantescas me hubieran abierto los ojos a la fuerza, para poder ver la realidad con crudeza y sin muchas consideraciones. Fue duro el choque. Me pasé una semana entera como si estuviera sonámbula, y ahí fue el acabose. Eso era yo al contemplarme en el espejo, un zombi, una caminante eterna de los laberintos de un matrimonio que no alcancé a comprender en su totalidad. Y como decía Ana María Matute: "Entonces tuve miedo de que mi sombra no se moviera más, como si fuera la sombra de una piedra."

Ese día decidí despertar, y desperté enojada. Tuve que entender que yo era mi trampa y mi salvación, mezcla contradictoria que estaba sirviéndome sólo para construir las paredes de un pozo que ni para tumba me iba a servir. Mi sombra necesitaba espacios abiertos, de oxígeno puro. No se asombren ni se esfuercen, a mí me costó varios años entenderlo, tuve que juntar todas las piezas y, sobre todo, aceptar las cosas con su verdadero nombre, ya no más las disculpas o los pretextos. La realidad muchas veces es cruel, pero también es sabia. Mi padre decía: "Reflexionar es torturar el espíritu." Pero en este caso era preferible un poco de salvajismo que otros años en este desierto sin oasis.

Esto es bueno, lo saqué del último censo de población. Presten atención: principales causas de mortalidad en mujeres de 45 a 64 años. ¿Adivinen qué está en primer lugar? No se esfuercen: los tumores malignos. Y en cambio, en los hombres, son las enfermedades del corazón. Claro que yo no podía esperar a que les creciera la cabeza como una sandía o a que a mi santo marido se le ocurriera caer fulminado frente al televisor un agobiante domingo. No, mis reservas de paciencia se me estaban terminando y, de volverme loca a despacharlos, pues era obvio el resultado, ¿no? En fin, el renglón de homicidios y lesiones infligidas intencionalmente por otra persona ocupa el lugar número cuatro en la lista de los varones y, sorpréndanse, en la de las mujeres aparece en el número dieciséis. ¿Qué tal? No hay duda de que los hombres son más violentos que nosotras, aunque la regla siempre tiene excepciones, ¿no creen?

En mi próxima reencarnación voy a ser un delfín, total ya estoy acostumbrada a hablar y que nadie me entienda.

Sigo. Por cierto, ¡salud! Aborrezco vivir en el D.F. En esta ciudad no hay amparo, siempre se está desprotegido, hasta los sueños peligran en esta vecindad ruidosa. Piénsenlo dos veces, aquí cualquier persona puede ser destruida en un instante, sin advertencia. Poco a poco vas perdiendo el color, en todos los sentidos, y al final caminas o circulas como un bulto gris, sin expectativas, eternamente cansada, de mal humor, lista para defenderte de los ataques o de las múltiples posibilidades de agresión, ya sean reales o imaginadas; harta, sucia, contaminada, ensordecida por los cláxones, aturdida por la orgía de casas que brincan del barroco tardío al estilo más absurdo; anacrónica, blasfemando por tus derechos y repudiando a quienes los exigen en las calles; lenta y torpe, una vida detenida por el congestionamiento de tráfico humano, por la manifestación número trescientos cincuenta y ocho del año. Vivir en el D.F. es una necedad que nadie se puede explicar, a menos que se quiera ser absolutamente anónimo y odies la vida.

Albert Camus afirma en su magnífico libro *La peste*: "El modo más cómodo para conocer una ciudad es averiguar cómo se trabaja en ella, cómo se ama y cómo se muere." Y aunque rebusquemos una y otra vez en el diccionario, aunque agotemos el vocabulario o empleemos sinónimos agradables, las palabras al final seguirán sonando secas y contundentes. En el Distrito Federal se trabaja con tedio y a las carreras, se ama con precaución y con los restos de un día arduo, y se muere como perro. Adaptamos una de las frases de Camus y concluimos: "En esta ciudad se vive sin memoria, sin esperanza."

Orgullosamente provinciana, Güera. No lo niego. Si te hubieras permitido el derecho de contemplar el color de un cielo verdadero, cómo se balancea un árbol con el viento o la gente saludandose con gusto, te habrías dado cuenta que vivir en esta ciudad es una utopía mal entendida. Pero la soberbia te decía al oído: Aquí está todo, aquí es donde viven los modernos, aquí puedes hacer algo mejor de tu vida. Falso, totalmente erróneo.

Aquí es donde pasa todo, es cierto, pero no les pasa a todos. Siempre voy a preferir el aire limpio que viene de una tarde cualquiera, que este oxígeno deforme que circula por el aborto natural llamado ciudad, contaminado por los malos humores y la miseria... Míralo así, Güera, tú que presumías tanto tus viajes por Europa, el D.F. es como Venecia, nada más que aquí no nos amenaza el agua negra, ésa la obligaron a quedarse debajo de sus pies de cemento, pero la anatema es clara, el agua podrida se evaporó y hoy nos cubre su sombra, ese pantano pinta el cielo de esta ciudad, y aunque lo simula en forma de manto gris, el cobertor está sucio y ya no se puede lavar... Recuerdo perfectamente la primera noche que pasé en esta ciudad. No pude dormir, los ruidos hacían que me ardieran los ojos y mi cabeza sucumbió ante las prisas y los rostros pálidos; si la madrugada me pareció dantesca, el amanecer fue más desolador aún. Este infierno de cemento me saludó con su consigna: has llegado a la cárcel más grande del mundo y en esta isla sólo recibimos animales heridos. ¿Qué le contestas? Nada, te encoges en tus tristes huesos y rezas porque no te toque ser parte de las estadísticas de violencia del día. Renglón aparte sus temblores, ¡qué horror! Ni para dónde correr o esconderse. Si te toca partir, prepárate a compartir tu muerte con un centenar de desconocidos y millones de toneladas de cemento y varillas. Y eso que en Chiapas también tiembla, pero aquí es distinto. Estás en la ratonera y te están sacudiendo. ¿Cómo escapar? Ya me imagino bajando los diez pisos, creyendo que tengo tiempo de salvarme. Ilusa, si alcanzo a salir, de nada sirve, afuera está peor. Cables de alta tensión, más edificios, vidrios, automóviles, parvadas de histéricos... Recuerdo el del ochenta y cinco, estaba yo planchando una camisa que Maximiliano consideró la idónea para ese día y no la que ya estaba lista sobre la cama, porque han de saber que el señor no puede elegir su vestuario por sí solo. ¡Ah, no!, aparte de cocinera, sirvienta, madre y curandera, era yo su valet, y pobre de mí si olvidaba poner en su pantalón las llaves o el pañuelo porque Troya no sólo ardía; se hundía como la Atlántida, y de paso me llevaba como recuerdo. Inútil, huevón e histérico. Una joyita. La cosa es que estaba yo planchando cuando un ruido, profundo, como si se desgarraran las entrañas de la tierra, me sacudió la modorra. Las paredes se hicieron de plastilina, y mis piernas también. Era como estar dentro del vaso con que Dios va a jugar al cubilete. Yo, recurriendo a las viejas tradiciones, me puse bajo el marco de una puerta, Maximiliano se puso a mi lado. Por un momento creí que me iba a abrazar, a sostener como mínimo, pero no, estaba muy ocupado mentando madres y sujetando las paredes de su preciado departamento, como si él solo pudiera impedir que se desbaratara esta torre de naipes. Más ruidos, más sacudidas y, al final, cesó el ataque de epilepsia de la tierra. Mi esposo salió corriendo, pero no crean que para auxiliar a los demás, no, fue a ver si su sacrosanta mamacita, –que para mi desgracia todavía vivía– no estaba convertida en una calcomanía y después, por supuesto, a verlos a ustedes, sus amigos, su única preocupación. Yo me tuve que conformar con las órdenes del patrón: cuida la casa, Negra, no sea que se metan unos ladrones. No, si motivos para que lo quisiera me sobraban, ¿no creen? Quince días después, uno de mis hermanos me habló por teléfono. Yo estaba feliz, alguien se había acordado de mí, alguien quería saber cómo estaba. Otra vez me equivoqué. Hablaba para saber de buena fuente si lo que estaba pasando por la televisión era cierto o si todo era parte de un truco publicitario para impedir que más provincianos se fueran a radicar al D.F. Antes de colgar me dijo: "Ni te quejes, si se muere un chilango es una bendición, si se mueren unos cuantos cientos pues hay que celebrar." Y yo ni me estaba quejando, pero así los ven fuera de sus fronteras de cristal, niños.

Triste, lo sé; sin embargo; no pueden negar la realidad.

Qué chistosito. Ay Maximiliano, todavía conservas la capacidad de negar hasta las cosas más obvias. Ni cómo ayudarte. Más bien, ¿para qué, digo yo?

¿Qué más? Ah, también detesto los ruidos de los comerciales, porque no se le puede decir de otra forma. Ruido, eso es todo. Prefiero un buen libro que una tarde completa de estúpida contemplación televisiva. Evasión, así de fácil. Es más, me causan náuseas las telenovelas. Tardé algunos años en entender que eso me hacía mal, sí, es cierto, muchas de esas historias plagiadas de la cenicienta me las receté de principio a fin. Confieso que intenté legitimarme mediante esos estereotipos, quería unirme al sentimiento colectivo de ser y estar en el lugar correcto, pero la televisión me traicionó. Al asumir las características de la mujer-madre-esposa, me inyecté directamente a la sangre un cúmulo pastoso de valores y formas de abnegación totalmente contradictorios con lo que en el fondo mi alma buscaba. Al final terminé siendo el arquetipo de la mujer neurótica, nunca la heroína rescatada de la miseria y amada hasta la eternidad por un hombre modelo de pasión y dedicación. Abrumada por la repetición de esas imágenes, mi cabeza buscó algo más fresco y los libros ya tenían lista la trampa para esta ansiosa, inculta y sometida mujer mexicana que alguna vez anheló recibir el premio de la academia televisiva por su papel de la mejor esposa del año…

En este circo denominado vida a las mujeres siempre nos

toca el mismo papel: la equilibrista. Caminar sobre esa cuerda tejida por manos masculinas, aceitada por el terror de ser nosotras mismas, y el exceso de tolerancia, nos han convertido en bailarinas que siempre oscilan entre el punto fijo que es la ilusión de una meta y el vacío que nos reclama con insistencia. Porque no hay nada peor que caer. Nadie te ayudará, ningún hombre está dispuesto a levantarte para que empieces de nuevo, mucho menos una mujer, que siempre están más pendientes de las caídas ajenas que de su propio caminar; es más, están deseosas de que las demás resbalen y se estrellen con todo su peso sobre un piso que no conocerá nunca de una malla protectora, porque así ellas sentirán esa alegría que da el no compartir un premio con nadie. Pero las reglas del circo son crueles, nadie se lleva las palmas y el trofeo nunca existió. Si tus rasgos están lejos de ser considerados dentro del marco de belleza establecido, y perdiste la batalla contra el tiempo, prepárate a lanzarte al vacío. Si no lo haces tú, la crítica y la burla lo harán por ti.

¿Les gusta cómo canta Eugenia León? Es de mis favoritas. A eso llamo yo una voz privilegiada. *"Según tu punto de vista, yo soy la mala, vampiresa en tu novela, la gran tirana..."* Esa canción le sale muy bien.

Los restos de jabón en la tarja me chocan. Un baño sucio, fatal. Y en ese terreno no me voy a meter mucho. De todos modos siempre lo ensuciaste Maximiliano. Y ustedes también. Tú, Chata, te pasabas de la raya, mira que dejar tus toallas sanitarias usadas flotando en el retrete. De pena ajena. Tus coágulos dando vueltas eran un espectáculo deplorable, en serio.

Ventajas de la edad, por lo menos en cosas como la regla. Después de la menopausia viene la tranquilidad, no que ustedes, mis queridos caballeros, pasan los años y sólo les llega la decrepitud. Una se hace vieja conforme aprende más cosas, conforme entiende, pero también se hace más fuerte. Es la compensación de la vida. Mi papá decía: "La regla de oro para sobrevivir, consiste en nunca cargar con el mal pasado, ese peso mata. La maleta debe ser liviana, sólo con lo necesario." La mayor parte de mi vida la malgasté tratando de que no se anidaran en mis recuerdos la nostalgia, fruto de todas las situaciones que no controlé ni el coraje por todo lo que me pasaba. Pero fracasé. Hubo un momento en que me saturé de todo eso y más. Ahí estaba yo, ahogada en mis propios lamentos, perdida en mi indecisión, jugando a ser la esposa y anhelando ser alguien distinto, alguien amado por ejemplo. Los recovecos de mi memoria no parecían suficientes para dejar fluir ese río de odio que comenzó a circular en mi interior, llevándose a su paso mis mejores años, para depositar al final toda mi existencia en una coladera que parecía más peligrosa que mi desesperación... Ahora veo las cosas de otra manera, definitivamente es mejor ser perra que vieja... Maximiliano, ¿sabes por qué últimamente discutías siempre sobre lo mismo? Porque te daba terror aceptar que estabas envejeciendo. Y esa carga no la supiste distribuir por tu cuerpo. Ya no tenías poder sobre mí, tus opiniones me valían un cacahuate, literalmente, ya no eras aquel macho que todo lo sabía y a quien le tenía yo pavor. Si alguna vez te admiré, ya no me acuerdo; es cierto, ese efecto duró muy poco en mis sentimientos. Enseñaste tus cartas a las primeras de cambio. Todo el oropel que te cubría, según mis estúpidos letargos pueriles, se cayó con un simple baño de convivencia. Y claro, el único recurso que encontraste, cuando te sentiste acorralado por la edad, fue enfatizar tus agresiones; pero ya era tarde. Hace muchos años que dejé de respetarte, y si me tardé en reaccionar fue por,educación, prejuicios, ignorancia o como gustes llamarlo. No creas que evito mi parte, simplemente prefiero digerirla sola. Cada majadería que me destinaste y cada comentario tuyo que no tenía más intención que minimizar mi autoestima los dejé salir por la ventana. Si te hubieras dedicado a la medicina, como cirujano tu futuro habría sido prometedor. Ya tenías lengua de bisturí. Lástima que nunca hiciste el menor intento por suturar las heridas. No te preocupes, mi madre ya me había preparado, pues siempre me gritaba: "Todo lo que te digo te entra por una oreja y te sale por la otra, malcriada." Absolutamente de acuerdo, lo aprendí desde muy chica. Mira que esto sí es triste, Maximiliano: Lo que me hiciste, lo hiciste con la colaboración de mi madre, y aunque me duela, con la mía también. El hombre no aplasta por sí solo, siempre contará con la ayuda de una mujer abnegada. Nos educaron en la escuela de la culpa, y por certificado nos dieron el diploma de la sumisión. El papel de madre dispuesta a todo por todos, menos por ella; es nuestro certificado de inexistencia… No le des tantas vueltas, Chata, además, ¿de qué te asombras?, si tú también defendías el sistema. Sí, acuérdate de aquella famosa discusión sobre la maternidad, cuando cometí la osadía de decir mi opinión en voz alta por única vez. La reacción de los hombres fue lógica, pero la de ustedes, fue una revelación. Aunque ya me lo imaginaba, de todos modos me tomó por sorpresa. Cada una de sus arengas tenía una leyenda: "Estamos del lado de los buenos, del grupo, de la masa." Ahí estaban Juana de Arco y Santa Teresa haciendo un sólo frente, dispuestas a vociferar y alzar el puño para defender sus ideales y, sobre todo, para aplastarme a mí, para aclararme que estaba operada del cerebro por no pensar igual que los demás. Ese fervor religioso, o más bien, ese fanatismo con el que me atacaron, nunca se me va a olvidar; sus alaridos lograron arañar mis techos. Ese día entendí que estaba sola, que ustedes eran la última persona a quien hubiera podido acercarme para buscar una salida. Y todo porque cometí la indiscreción de afirmar que cada mujer debe pensar si quiere ser madre o no, pues casi nadie analiza si en verdad lo desea y está preparada para ello; la mayoría simplemente reaccionan ante su entorno, que las presiona para que "se realicen"... Recuerdo perfectamente una vez, siendo yo muy niña, que fuimos a visitar al abuelo a su rancho. Mi mamá nos mandó al patio a jugar, y como todos mis hermanos eran unos brutos, siempre inventaban juegos donde los golpes eran la parte medular de la diversión. Yo preferí ver los animales. No era la primera vez que los observaba, pero entonces me tocó ver al gallo líder, el favorito de mi abuelo, persiguiendo a una gallina; la atarantada gallina quería escaparse, pero el gallo la arrinconó y la montó, o como decían en el rancho: la pisó. Mis conclusiones del espectáculo fueron acompañadas de un sentimiento que después perfeccioné: el coraje. Sí, estaba enojada por la actitud de la gallina, con el pico abajo y los ojos cerrados, sometida, permitiendo que el gallo la pisara. Años después, al verme frente al espejo tras una sesión de sexo cotidiana, me sentí igual que esa gallina. La estúpida gallina, la ponedora de huevos, que además de fea estaba en el corral equivocado: aquí sólo había sitio para los cisnes, las gallinas estábamos fuera de lugar.

Tiempo después de ese viernes fatídico, cuando no conformes con criticar acremente mis heréticos puntos de vista también hicieron todo lo posible para que ese desliz no se repitiera, me encontré entre los libros de remate que acostumbraba comprar una novela biográfica muy singular. Lo escribió una madrota llamada Polly Adler. El porqué se dedicó al negocio de la prostitución es lo de menos; pero cuando filosofa sobre por qué los hombres prefieren a las putas que a sus esposas me quedé helada. Me aprendí de memoria sus explicaciones:

"¿Por qué no había de abandonar un hombre a una esposa semejante por una de mis muchachas que siempre:

a) estaban vestidas con primor

b) encantadoras a la vista

c) alegres y dispuestas a quererlo

d) que siempre lo adulaban

e) y se mostraban comprensivas

f) y le decían que era un amante maravilloso?

La única diferencia entre ellas –las esposas– y mis muchachas, es que estas últimas daban al hombre lo que éste pagaba con su dinero".

Sin comentarios. Una aclaración nada más: cuando habla de "semejantes esposas", se refiere a mujeres como ustedes, niñas.

Este vino tinto me está cayendo muy bien. ¿Alguien gusta algo? Yo sí quiero otra copa... ¡Salud, chicos!... Julia de Burgos le puso por título a uno de sus libros de poemas "Yo misma fui mi ruta". Cuando nombre mis cuadernos les pondré "Yo misma fui mi curva peligrosa". Ni cómo negarlo.

Mi hijo Max me envió un correo electrónico hace unos días. Bueno, era la típica reflexión que te llega en cadena. O sea, un *forward*... Ya sé que no entienden de qué les estoy hablando; lo siento, el tiempo de su superación expiró. ¿Ya ves, marido, por qué quería estudiar computación? Esa sonrisa tuya, tan falsa e hiriente, cuando te enteraste que estaba tomando clases. Francis Picabi decía: "Nuestra cabeza es redonda para permitir al pensamiento cambiar de dirección." ¿La tuya era diferente? Cuadrada no estaba, quizá hueca, tal vez no entendiste los señalamientos. No sé para qué te dieron una cabeza. En fin, la cosa es que el correo electrónico, conocido tristemente como el mail, y digo triste porque todavía no entiendo las causas que nos orillan a adoptar una palabra en otro idioma si el español es tan completo, y existe la traducción; ni hablar, eso lo dejamos para el próximo viernes... Perdón, es la costumbre. Como les decía, me llegó un correo y decía: "Si de verdad quieres entender a una persona, no escuches lo que dice, sino lo que calla." ¿Se imaginan la cantidad de cosas de las que se habrían enterado si me hubiesen integrado a su grupo? La respuesta es contundente: nunca quisieron hacerlo. Ni cómo enojarme con ustedes...

¿De veras no se les antojó siquiera por un momentito? Digo, ¿era miedo a que fuera yo humana? ¿Mi cara les daba pavor? ¿Pensaron que los iba a agredir? ¿De plano, tan poca cosa me consideraban?

Debo evitar tanta pregunta. No tiene caso insistir, además, ya no se puede hacer nada al respecto. El colmo sería caer en crisis en estos momentos, y peor aún en arrebatos adolescentes, en los que nunca se sabe exactamente qué respuesta se está buscando entre tanta pregunta vaga. Mi padre decía: "Una persona que pregunta tanto no puede ser feliz, menos si las interrogantes vienen de una mujer."

Pasemos a cosas más agradables: ¡los regalos! No pongan cara de sorpresa, por favor. Yo no regalo porquerías. Sé que hace años que no les doy nada, pero piensen que dejé de hacerlo cuando me di cuenta que los afectos no eran recíprocos.

Vean, ¿les gustan? Yo misma diseñé las lápidas. También los epitafios son míos… ¿No pueden verlas? Sin queja, las bolsas de papel tienen dibujados unos ojos perfectos, y ni crean que se los voy a quitar por un berrinche. Punto final a la discusión. Créanme, esas caras de reciclado les quedan mejor que las que portan ordinariamente… ¿Dónde las escondí? Maximiliano, ¿para qué discuto contigo?; las escondí bajo los muebles de la sala. Hace un mes las encargué y apenas anteayer me las trajeron. Afortunadamente en la agencia son muy cumplidos y discretos.

Quizá lo más relevante de estas lápidas fue que me obligaron a pensar en ustedes, pero esta vez sólo me refiero a los esposos invitados. ¿Se fijan que nunca los he llamado por su nombre? Quizá sea una venganza menor. Lo acepto. Francisco de Chata y Fernando de Güera. Sería muy interesante que fueran ustedes los que perdieran sus apellidos. Y como no me gusta romper de golpe todas las tradiciones, confórmense con que los haya nombrado una vez. Porque no va a suceder de nuevo… o tal vez al rato se me olvide y los tutee, eso ya lo veremos.

Ésa es mi canción favorita: *"Defender mi ideología, buena o mala pero mía, tan humana como la contradicción…"* ¡Efectivamente! Canto de la chingada. ¡Ups!, perdón por el desliz, pero este vino está consiguiendo lo que nadie había podido: se me está relajando la moral. Interesante, interesante. La moral, como la piel, al paso de los años es menos rígida y más flexible. Sí, señor… ¿Alguien gusta bailar?

"Es mejor bailar mientras Roma arde, ya que ha de arder" D.H. Lawrence. Otro de mis favoritos.

Maximiliano, nunca he bailado con otro hombre que no fueras tú, y eso sólo sucedió el día que nos casamos, así que esta vez voy a desquitarme y lo voy a hacer con tus mejores amigos, incluso con la Güera, quien siempre creyó que yo en el fondo era lesbiana. ¡Ay, güerita, ni cómo ayudarte! Ven, te toca ser la primera. Deja que te guíe, sueltita… ¡ay, buey! Se me olvidan los clavos, perdón… Ya está, sigue el ritmo, Güera, tú puedes. Sin quejas, es música de tu época. Grandes bandas, suenen fuerte, que estas mujeres están bailando y rompiendo las antiguas leyes. Es más, Güera, al sillón, y vente Panchito… No, mejor después.

Mejor bailo sola. Antes de que se me olvide: Maximiliano, me repugnan las flores de plástico. Hice todo lo posible para esconderlas, y tú insistías en traer más a la casa. Lo natural es más sano, enano… Rimó. Ése puede ser el título del cuento.

Dedico esta pieza a los ciegos, los mudos y cualquier otra persona con alguna discapacidad. A todos ustedes: los entiendo perfectamente. Yo también he sido una discapacitada durante estos años y lo celebro bailando, sola, moviendo las caderas como nunca me atreví a hacerlo, soltándome el pelo, sí, rebelde, pero mi cabello a fin de cuentas… *"No voy en tren, voy en avión…"* Me encanta Fito Páez. Griten, les doy permiso: ¡tubo, tubo, tubo! Me tardé mis buenos años en entender ese chiste privado. Tubo, alias una desnudista que se contonea para hacerlos sentir vivos una vez más, vivos y poderosos. Esta vez yo soy el espectáculo. Pueden poner unos billetes, no me ofendo.

¡Uy!, llegamos a la sección de la música romántica, cachonda, lenta y rítmica. Ésas también son de mis favoritas. ¡Salud, mis queridos amigos! Bebamos, que el mundo se va a acabar. Corrijo, bebamos, que ese mundo ya se acabó. Soy una exiliada, una viajera de las frases, la recién llegada al paraíso prometido. Apláudanle a la turista. ¡Vamos, intégrense!

Si me viera mi madre se volvería a morir. Bebiendo a pico de jarro, como albañil; la alcohólica de la colonia, ¡ups!, el desprestigio, mi adorado Maximiliano, la ruina de la familia Sánchez... ¿Te diste cuenta? No incluí mi apellido, estoy fuera niño siempre lo estuve, apenas ahora estoy disfrutando los privilegios de esa exclusión.

Déjenme abrir la ventana, tengo que tomar mis baños de luna... Qué maravilla, hay luna llena. Aúllen, por favor... Siempre en mi contra, está bien... La botella expiró, igual que ustedes: está vacía. ¡Ah!, pero recuerden, soy mujer, esposa, madre, en todo tengo que pensar, incluso en el abastecimiento de los licores. Y he aquí la prueba de que aprendí bien mis deberes. Una botella nueva, completa, rebosante de licor color sangre.

¡Salud!

Tengo que sentarme. Con permiso, muévete, ¿tú quién eres? ¡Ay, Dios, ya no los distingo! Güera, ¿es el tuyo? No, ¿verdad? Sí, sí es, fíjate en el color de sus brazos; el de la Chata es moreno y el tuyo rosado, como buen pelirrojo. Está bien, los voy a marcar para que no te confundas. ¿Segura? Las máscaras se van a echar a perder. Ya, ya, sin llantos, ahí voy. Por cierto, voy a fumarme uno de tus cigarros, Güera. Mi papá les decía cigarros de velador a éstos. Mentolados, tan típicos en ti.

Plumón rojo, eso nunca falla. Tú, ¿quién eres? ¡Ah!, el de la Chata, a éste le ponemos una Che en la frente... Ya está. Por ende, el otro es el tuyo, Güera, porque el mío desgraciadamente todavía es muy reconocible... ¿En la nalga? ¡Ay, Güera, qué descarada me saliste! Tú, que te sonrojabas cuando alguien decía senos. ¡chichis, qué madres! Te voy a hacer caso, Güereja.

No puedo, qué risa... Perdón, me gana la risa. Se los juro, ni a mi marido le bajé los pantalones. Bueno, como si fuera mi hijo. ¡Está bien, ahí voy! ¿Estás viendo, Maximiliano? Voy despacio para que no te pierdas de nada. Cinturón suelto; botón, ¡ay, Dios!... ¡Ja! Botón suelto, qué pena... Ya me está gustando. No hay duda, todo es cuestión de soltarse un poquito. ¿Cómo era, Maximiliano? Flojita y cooperando. ¡Pendejo!, sólo a ti se te ocurre decirme eso en la noche de bodas. Era virgen, buey, y no tenía ni la más pálida idea de lo que era el sexo, y por desgracia durante todos estos años contigo tampoco lo supe. Niño, eras una garantía para el fracaso.

Lo logré. ¡Lo logré! ¡Le he bajado los pantalones a un hombre!

Qué tal, éste sí que es coqueto. Por mi madre bohemios que esto es un calzón de hilo dental. Ahora sí me meo de la risa.

Güera, ¿a poco tú se los compras? ¿En serio? ¡Ay! ¿Qué es eso? No, me niego a creerlo. Con tu permiso, Güera, pero tengo que comprobarlo. Es una cuestión científica... Dios, ¡Maximiliano, sí existen! ¿Ya ves? Sí hay gente común que la tiene tamaño "llorarás". Cristo bendito, he aquí la diferencia entre lástima y lastima. Y no es por el acento.

No quiero ni imaginármelo... bueno, me lo imagino. Güera, tengo que ofrecerte una disculpa. En serio, ahora entiendo por qué no querías tener sexo con este animal de monte. Te has de haber sentido como mariposa de coleccionista: clavada en la cama. Está cabrón. Güera, me retracto, no creo que hayas sido frígida, estúpida sí, pero estoy segura de que el bruto de tu marido creía que meter y sacar era hacer el amor, y con chico animalote que la naturaleza le regaló, te entiendo perfectamente. Perdón.

¿Qué lo suelte? Disculpa. Es que esto es un proyectil, no,

una batuta, un obelisco, ¡Dios! Esto es el monumento a la carne rosada.

Marido, aprende, esto es un pene, lo demás son puras miserias. ¡Ahorita lo suelto, Güera! Entiéndeme. Sólo una vez había visto algo así, y fue en una revista de *Playgirl* que mi hijo tenía escondida en su cuarto. No saben cómo me puse cuando la encontré: Roja al borde del violeta. El calor me subía de la planta de los pies hasta la cabeza, de ida y vuelta. Casi me desmayo, por la falta de aire. ¡Claro que la hojeé! Puro semental, sonrientes y bien dotados. Y sin un solo vello en el cuerpo. Ahí me dije; bueno, no eres la única que sufre con la depilación de las axilas. Fue lo más cerca que estuve de una de esas cosas. Maximiliano siempre decía que lo normal eran doce centímetros. Sí, Chucha, cómo no. ¿Doce? Enano, éste mide fácil el doble. Es más, lo voy a medir. ¿Alguien trae una cinta métrica? La bolsa de una mujer puede ser una caja de Pandora, o un hoyo negro, ahí es donde tengo que buscar... Vamos a ver, todo al suelo; disculpen que sea de esa forma. Un equipo completo de maquillaje, diez tipos distintos de labiales, sacapuntas, pinzas para los vellos hirsutos, cera para depilar, tijeras, santos de todas las religiones, monedas; Güera, me fallaste. Chata, ¿traes jeringas para la silicona? Es broma. Niña, eres una farmacia ambulante. Antidepresivos, suena lógico. Vendas, alcohol, ¿silocaína? ¿Tanto duele? Deberías traer condones, aunque desconozco si existen tamaños extralargos y extraanchos. Sé que hay de colores, mi hijo me los enseñó un día; según él, existen tiendas que sólo venden eso. Qué cosas… ¡Aquí está!, una cinta métrica, claro que sí, estoy segura de que todos los días te medías tus volcanes para salir de dudas, no fuera que por la noche alguno hiciera erupción. Ahora sí, a medir el monstruo de un solo ojo, el gusanote, el cara de haba; el cíclope, así los bautizaba mi'hijo Max. ¿Qué quieren? Soy más simple que un vaso de agua. Max siempre me decía: mamá, te he contando el mismo chiste treinta veces y te ríes como si fuera la primera vez. Es cierto, ¿cómo era ése? Ah, sí, ¿qué le dijo una pierna a otra pierna? La vecina de arriba no se peina… Ya lo sé, es de primaria, pero a mí me encanta.

¡Se los dije!, Veinte y descansado. ¿De ancho? ¡Qué bárbaro! Imagínenselo en estado de alerta, vivito y coleando. Si me hubiera tocado uno así, seguro que salgo corriendo como loca del cuarto en la noche de bodas. Tal vez después le hubiera dicho que sí, pero de arranque, ni cómo acomodármelo.

Pensándolo bien, Güera, sí eres frígida y pendeja, cómo de que no. Chata, ahora entiendo tu elección.

¡Salud, por los penes gigantes, por la exportación del camarón enano, por México, salud!

Por cierto, tú, Chata golosa, te voy a quitar las sábanas… Pensándolo bien, mejor salimos de la duda de una vez, ¿tu marido también tiene sorpresas? Obvio, si la tuviera igual que el de la Güera sólo sería por una cuestión: Chata, eras una puta.

Bien dicen: la curiosidad mató al gato. Decepción total, éste no sólo tiene un microlápiz, sino que además le falta un testículo. Está bien, Chata, no eras tan galamera como pensé... Un hombre desnudo es generalmente una imagen ridícula, más si se queda con los calcetines puestos. No hay duda. Míralo bien, Chata, tu eunuco azotador parece un sin embargo, un equis, todo, menos un prepotente macho acostumbrado a creer que las mujeres están equipadas por la naturaleza para resistir los golpes.

Ya entrados en gastos, pues los desnudo a todos. ¿A ver

niéguense? ¡Todos en pelotas! Porque lo digo yo, porque soy sus madre. Así dicen en mi pueblo, siempre le quitan una ese al asunto: sus casa, sus padre, sus calzón…

Me acuerdo que cuando era una jovencita y nos llevaban a San Cristóbal, a algún baile, si el muchacho se te pegaba mucho le decíamos: por favor, acomódate tu afocador. Qué brutas, sí que éramos inocentes. Como no había luz eléctrica todos usaban una linterna para poder andar en las calles, y se la ponían dentro del pantalón. Imagínate, Güera, con tu marido: por favor, acomódate tu termo de café.

Ahora sí, encuerados, como Dios los trajo al mundo, aunque no creo que haya sido tan cruel para traerlos tan feos. ¿O sí?

¡Parásitos, aquí está la planta de donde se han alimentado todos estos años! ¡Obsérvenme! Yo sigo vestida, y me veo mejor que ustedes.

¿Un trozo más de pastel? Ya no tienen nada que perder, esos cuerpos son la prueba de que Dios nunca los quiso: celulitis, venas moradas, carne fláccida, vellos que parecen trozos de alambre, lonjas, cicatrices, suciedad. He ahí el resumen: Inefable. Imposible verlos con los ojos de la piedad, ésa es la más absurda de las pasiones, peor aún que el olvido. Pensándolo bien, me niego a ser la vocera de sus desgracias; esa constelación de lunares es de lo más desagradable que he visto en mi vida. Qué cruel es la edad. Nunca me había fijado, qué cantidad de vellos tienes en el cuerpo, Maximiliano. Y todos son de color plateado. Espero que tu hija no haya heredado eso de las canas porque se muere de la impresión; de por sí es tan chocante, toda su vida ha estado preocupada por la figura. La palabra obsesión en ella es una constante.

Vamos a resolver esto. Las lápidas harán que el espectáculo sea más digno. Primero, las mujeres. Chata: siempre recordaremos tus falsos regalos, tu presencia fue el mejor de ellos. Güera: tus volúmenes corporales superaron nuestras expectativas, gracias por tus observaciones y consejos, siempre supiste herir donde más duele. Fernando: tu semilla poblará mi ánimo siempre; de haber sabido de tus "virtudes" te pongo otro epitafio. Francisco: pocas letras, para tan poca cosa. Maximiliano: fuiste marido infiel, fanático de la matriz original, amante torpe, puto de clóset, padre por nombre, borracho por cobarde, televidente por convicción. Te vamos a extrañar.

¿Les gustó? Qué bueno, los hice con gusto.

Son como una flor, ¿cómo se llama la de la buena suerte? Ahorita me acuerdo. Pies juntos, brazos sobre el pecho y todos conectados por los talones. Haciendo tierra... ¡Trébol!, eso es, son un trébol de cinco hojas. Cinco pesadillas, dos más tres, cinco de nada, cuatro más uno, cinco, ¿para qué? ¡Todos para uno y todos contra mí!

La aureola de lápidas se ve maravillosa. Una corona digna de tanta bajeza. Déjenme subir a la mesa para contemplar mi obra.

¡Un aplauso para la escultora! Gracias. Muchachos, gracias por su cooperación, se ven magníficos, es más, casi siento arrepentimiento, pero no es para tanto. Algo falta, esperen. Un florero en medio, sí.

Sublime, de las plantas de sus pies han brotado flores; he ahí unos girasoles sonrientes. Espero que no tengan hongos en las patas porque no me van a durar nada los carísimos girasoles.

¡Foto, foto, foto!

Cortesía de la Chata. ¿Quién te la regaló, Chatita? ¿El marido de la Güera? Pues está bonita, lo que sea de cada cual, y es de fotos instantáneas. Digan güisqui, mejor digan posol, la bebida oficial de mi tierra, el que lo prefiera puede escoger entre tascalate, posh o aceite guapo... No hay duda, desde las alturas las cosas siempre se ven distintas. Me niego a bajar de la mesa, ya me gustó esto... Está bien, más fotos, hasta que se acabe el rollo. Ahorita se las enseño. Es más, que se sequen en sus cuerpos, ¡ahí les van!

Pausa, niños. Ésta es una manera gráfica para que al fin entiendan que no se dice: sentémonos en la mesa. Eso es lo que estoy haciendo en estos momentos; lo correcto es: sentémonos a la mesa. Y esto es: acostémonos en la mesa.

¿Qué? Chata, no lo puedo creer, te atreviste a decir algo. Te contesto para que veas que no te guardo rencor. No me brinqué ningún mandamiento. Ésos son tus mandamientos, no los míos. "No matarás", qué risa me da. ¿La maldición? ¡Ah, ésa! Si quieres intelectualizar el tema, recurramos a los maestros. "El más sangriento de los homicidas no puede ignorar la maldición que recae sobre él. Pues esa maldición es la condición de su gloria." Bataille. Es cierto, eso dice este magnífico escritor, pero para este caso en particular es preciso aclarar algunos puntos. Número uno, no soy una homicida, soy una mujer desesperada, y no es lo mismo buenas noches que ya me voy. Número dos, si la maldición consiste en una vida sin miedo, libre, plena, pues acepto la gloria; es más, la exijo.

Continuando con Bataille, también sentencia: "La muerte de uno es correlativa al nacimiento de otro. La vida es siempre un producto de la descomposición de la vida." O sea, ustedes mueren, yo nazco. Así de simple. Y no nos metamos con la religión porque nunca se llega a un consenso; es más, si quieres perder a tus amistades, habla de religión.

No estoy evadiendo el tema. Mi comunicación con Dios

quizá no es muy buena, pero eso es un problema entre nosotros dos... Dije que lo olviden. Ustedes son los menos indicados para darme clases de religión. Y si estoy peleada con la iglesia, ¿qué? ¿Van a poner una demanda en el Vaticano por mi mal comportamiento? A cada uno le toca ver sus asuntos de la fe a solas; no es materia para la reflexión colectiva, entiéndalo. Sí, todavía creo en Él. A fuerzas, pero creo. La verdad, cada vez que pienso en Él siento miedo, nada más. Tal vez por eso no nos hablamos desde hace un buen tiempo.

Ya. Cambio de tema.

El techo se ve distinto aquí. El de mi cuarto lo conozco de memoria. No hay duda, en esta zona mi especialidad era la alfombra...

¿Se han dado cuenta de lo hipócrita que es esta casa? La paz que se respira es una falacia. La rutina nos convirtió en un mueble más; ya no respirábamos, la sangre dejó de correr por nuestras intenciones. Hagan un esfuerzo. ¿Qué ven? Una casa limpia, una casa disfrazada de hogar, la cocina levantada, los muebles en su lugar, pero bien dicen que lo que no vemos es lo que nos da más terror: las voces acalladas por el ruido de los objetos cotidianos, esas pláticas postergadas por el miedo a reconocer un fracaso o una vida desperdiciada; la ausencia total de comunicación, el nulo amor, la poca tolerancia, el hastío de seguir juntos por obligación o porque ya no hay a dónde ir. Un punto perdido en el mundo, es ésa la perfecta definición para este departamento... Tal vez esperen que les diga que me construí un mundo aparte. Lamento decepcionarlos, pero nunca inventé otro mundo, siempre viví en el que me asigné por taruga. Incluso evité usar los libros como alfombra mágica. Cada descripción que me regalaron los escritores de un lugar específico me sirvió para armar otra lista de pendientes, y no porque dudara de lo que leía; era esa necesidad de tener un objetivo claro, una vasta lista de lugares por visitar, nada más. Quizás ahí estuvo uno de mis grandes errores: habitar la realidad cotidiana con esa disposición un tanto suicida. Sartre lo advirtió a su modo: "El apetito de escribir encierra una negativa a vivir." Lo cierto es que nunca hubo mundos mejores, sólo este departamento de seis ventanas y una única salida. Aquí se entra, pero no se sale, solía señalar mi madre acerca del matrimonio. Pero esta vez sí voy a salir, y prometo no regresar como esas tantas veces que caminé, esperando poder salirme del mundo y entrar en uno menos caótico, e invariablemente, cuando las piernas me pedían un descanso y las calles se multiplicaban con su misma silueta, regresaba como un gato que ha aprendido una sola ruta. Si bien nunca tuve un espacio en esta casa que pudiera definir como mío, fue porque así lo decidí yo. No quería arraigarme en este lugar. Se supone que los sacrificios, el dolor, las penas y el aguante son parte de nuestra naturaleza. Y aclaro: por algunos años así lo creí, es más, me gustaba ser una señora, pertenecer al grupo de mujeres que tienen un lugar en este mundo, pero las suposiciones me sobrepasaron. Al no encontrar los premios al sacrificio ni los reconocimientos a mi santidad, comencé a negar esta realidad; aunque tampoco eso me iba a salvar. Confieso también que sí quise casarme, por lo menos en la época que abarca de mis quince a los veinte años, era todo lo que soñaba: casarme y ser feliz. Así versaba la fórmula del cine, así parecía ser la secuencia correcta; los diálogos eran simples: él decía: te amo, yo contestaba: para toda la vida, y de fondo una abuela, frente a un nutrido grupo de mujeres y niños, con su cabello blanco, más buena que Santa María Tonantzin, blandía una señal y, mientras me bendecía, dejaba escapar unas lágrimas castas y con leyenda: ése es el ciclo de la vida, ve y sufre, ve y entrégate a tus deberes, eres mujer y serás madre como yo; el mundo te necesita... Como buena fanática del cine mexicano, el de blanco y negro o más conocido como época de oro, pensaba que el matrimonio era lo mejor que me podía pasar. Del beso casto teníamos que pasar a formar una familia numerosa y dichosa. El sexo se perdía entre los decorados, se dejaba velado para una noche sin luz, nada más. Digo, ni en los cabarets más alucinantes de una Ninón Sevilla esplendorosa se tocaba el tema del sexo abiertamente. Entiendo que tiene que pasar, no soy estúpida, pero siempre me preguntaré por qué no pasa como en las películas. Es mejor, más cómodo. Te evita sentirte mortalmente humana, de carne y hueso, defectuosa. En los guiones nunca se usaron esas miserias corporales. Los hijos aparecían de la nada, ni siquiera llegaban de París o envueltos en una sábana del pico de una cigüeña cursi; eran un hecho sin secreciones de por medio. Incluso las malas o las descarriadas se brincaban esa parte; nunca vi a una demoníaca María Félix en la cama comportándose como una acróbata con un ecléctico Arturo de Córdova, y miren que la mujer casi siempre fue de actuaciones escandalosas, como decía mi madre: "Esa mujer es de cascos ligeros y una pésima influencia para la juventud." Bueno, mi madre, como casi todas las mujeres de su época, creía que actriz era sinónimo de prostituta. Yo pude ver las películas satanizadas por la prole, gracias a que el papá de mi mejor amiga de la infancia era el dueño del único cine del pueblo; era un señor muy liberal para su tiempo y disfrutaba vernos a su hija y a mí gozar, casi de forma pecaminosa, nuestras pequeñas aventuras. Mis padres siempre creyeron que yo estaba con Ángeles Oviedo haciendo la tarea, cuando en realidad ambas estábamos esperando la señal de aquel hombre bonachón que nos autorizaba a colarnos hasta el fondo del cine y perdernos entre una caja inmensa de palomitas y las imágenes temblorosas que evitaban el tecnicolor. Vaya, ni en la relación incestuosa de Andrea Palma en *La mujer de puerto* había escenas maliciosas; algunos trucos de cámara, música para amagar, flores marchitas o un huracán violento cuando era violación; el simbolismo era un buen puerto para esperar el siguiente paso de la vida. Ya fuera que las obligaran a caer en la tentación o que terminaran burladas por su inocencia desmedida, ninguna de esas mujeres cometió el error de la exhibición descarada. Cada vez que estaba perdida en ese mundo de sombras mis ojos se engolosinaban con los decorados y, sobre todo, con esas frases maravillosas que lanzaban los actores y que hablaban de un mundo ideal: el universo para los elegidos. Adoraba la entereza de Marga López al sufrir por su hombre o por carencias económicas; idolatraba la ternura de Sara García mientras preparaba tortas para los hijos ingratos que la despreciaban porque olía a cilantro y cebolla; me desternillaba de risa cuando Joaquín Pardavé convertía las cosas banales en un juego de oraciones sobrepuestas o cuando Vitola dejaba a su cuerpo exánime bailar al ritmo de un mambo pecaminoso; admiraba las cejas de Dolores del Río y la eterna tonalidad de una voz que encerraba todos los designios de la vida; hacía dúos con Pedro Infante y soñaba que Jorge Negrete me traía serenata en mi balcón lleno de flores y esperanzas pudorosas; imaginaba cómo se sentía de pequeña Columba Domínguez entre los enormes brazos de Pedro Armendáriz mientras éste alzaba su ceja hasta el inicio de su cabellera; creía que la maldad más pura de la

Tierra podía verse en los ojos de Carlos López Moctezuma o en los desplantes de Emilio Tuero; pensaba que la osadía más fogosa nacía en los saltones ojos de Katy Jurado y que cuando una mujer caía invariablemente se transformaba en Carmen Montejo; quería que mi abuela se pareciera a Mimí Derba, mi mamá a Miroslava, que mis hermanos se fundieran entre Tin Tan y Resortes, y tener una hermana como Chachita... Así quería mi vida, como una película con final feliz, con anécdotas de valor y entereza de por medio, con una familia que sonriera como si estuvieran frente a una cámara, con mis nietos danzando a mi alrededor para justificar mis años de entrega y valor, con mi esposo a mi lado, envejecido, fuerte, honesto, digno, buen padre y, sobre todo, cariñoso, cariñoso como Domingo o Andrés Soler. Nunca encimoso o ferozmente sexual.

Ya lo sé. Demasiado soñadora para un mundo donde incluso el cine ha tenido que transitar a la violencia o a los choques espectaculares como signo de encrucijadas. Sí, he visto cine mexicano contemporáneo, y estoy horrorizada. Coincido en algunos títulos, los amores son perros y a algunas les llega el segundo aire con buenos resultados. Arturo Ripstein es una lupa que nos desnuda y a Alfonso Cuarón le gusta jugar con los extremos de la comedia. Bueno, hasta con la tarea me columpié mientras María Rojo me dejaba en claro que nunca aprendí nada del sexo y que José Alonso pudo haber sido el perfecto candidato si se me hubiese ocurrido ser infiel.

Pero sigo guardando en mi corazón esas estampas sin color. Aun a esta edad, lloro cuando Dolores del Río dice: "Yo también estoy muerta, y esta casa es mi tumba." *Bugambilia*, me fascina ese final. Siempre quise responder como lo hacía María Félix con sus amores tenebrosos: "Ángela, la vida sin ti no vale nada." "Y la vida contigo vale menos, dame ese dinero." Qué fuerte. "El dinero en manos de los estúpidos dura poco". De la misma película. Lo mejor era cuando Ernesto Alonso le suplica en una fiesta de disfraces de lo más alucinante: "Dime una palabra para poder seguir viviendo." Y ella simplemente contesta: "Olvídame." Bárbara la mujer. Siempre creí que era la versión en carne y hueso de Maléfica, la villana de *La Bella Durmiente*. Me encanta cuando Maléfica regaña a su torpe ejército: "¡Estúpidos, son una vergüenza para las fuerzas del mal!" Sí, también adoro las películas de caricaturas. *La Sirenita* es una joya…

Pero no crean que no he aprendido nada en estos años. Hoy sé que tengo derecho a una vida sin párrafos de tragedia, mucho menos cuando los han escrito otros. Hoy puedo decirte, Maximiliano Sánchez Valladolid, lo mucho que odiaba el momento en que me obligabas a ver la televisión contigo. Esa pantalla palpitante no fue un obstáculo entre tú y yo, si no el puente para que cada uno tomara un camino distinto. Fíjate qué ironía, el televisor resultó un buen pretexto para no agredirnos diariamente; los comerciales dialogaron por nosotros, los conductores se enojaron por nuestra cuenta y los programas de concursos soñaron por nosotros. El problema no era la televisión o tú, era ese espacio y ese tiempo destinado a perderse entre mi vida y la de los demás. Hoy, creo que me puedo reinventar y que puedo volver a empezar, a pesar de ti, de mí o de lo que venga.

¿Alguien puede servirme otra copa?

Como siempre, son unos servidos, todo quieren que lo haga yo, pero ¿saben qué? Me da gusto servirme sola, absolutamente sola, deliciosamente sola, pletóricamente sola. Onomatopéyicamente sola.

Hay un deleite en la soledad que supera todo mi pasado…
¡Hora del rocanrol!

Adiós, tacones. A brincar sobre los muebles de la sala, sobre esa delicada reliquia, la herencia más preciada de tu pútrida familia, Maximiliano. Ya sé, era la sala de tu mamita, a quien adorabas con todo tu complejo de Edipo, por quien tuve que relegarme al puesto número cuatro de este estúpido núcleo familiar, porque claro que primero estaba ella, después tú, más abajo, tus hijos, ¿y al final? ¡Pues yo! Sí, veme, bailo sobre los muebles de tu madre, de esa cabrona que siempre me trató como si yo apestara a cuero, que creía que yo era una naca. Como decía la muy déspota: "Nunca pertenecerás a mi núcleo." Sí, brinco sobre cada sillón, dejo que el vino se derrame de mi copa y manche tus exequias familiares… *Todo el mundo en la prisión, corrieron a bailar el rock*… Y ojalá se rompan, ojalá no me aguanten y se terminen de ir a la chingada de una vez por todas, porque ¿qué crees? ¡Odio esta pinche sala! ¡La odio, es cierto, la odio!

Ya me enojé. Control, mujer, control. Es tu noche, apenas son las tres de la mañana, hay tiempo, hay tiempo. Mancha la tiznada sala con tu plumón y basta de niñerías… Sí, así empieza mi cuento: una mujer con el pelo revuelto, una copa medio vacía en una mano y en la otra un plumón agresivo, ha caído en la trampa de la ansiedad, pero ya no le importan las simulaciones. Deja que su mirada se torne vidriosa; analiza y concluye: hay una forma de quemar cada uno de los malos recuerdos, y esa fórmula es escribiendo todas las cosas que detesta con su plumón rojo sobre la delicada tela de estos sillones, verdaderas antigüedades del siglo XIX. Sonríe con sólo pensarlo, siente ese gozo interno que da una solución largamente esperada, y escribe con mayúsculas, escribe usando todo el abecedario, porque sabe que el coraje es mucho y el enojo más; detalla situaciones, intenta atraparlas en frases, deja que las oraciones se acomoden solas, abusa de los adjetivos calificativos, interpreta con signos las conjugaciones de su dolor, y raya, mancha, pinta, ensucia, bate de color rojo, pinta sobre los sillones que pertenecieron a la estúpida que abrio las piernas para tener un solo hijo y bautizarlo con el ridículo nombre de Maximiliano, al que crió como si fuera el único hombre que valiera la pena en el universo.

Ya. Basta.

Mis pobres deditos. Esto de la literatura duele.

Señores, no me gusta el tono de su piel. Voy a maquillarlos. Y como me sobró tanto pastel, van a bajar directamente al infierno vestidos de color chocolate... Ni crean que es un pastel cualquiera, no, bebés, ésta, es una receta antigua de mi abuela. Y te aclaro, Güera, que no pienso gastarme todo el betún en el chipilín de tu marido. Ése se queda con su color original.

Ahí voy, ¿listos? Uta, con las dimensiones adiposas que los rodean está cabrón que ajuste para todos. Vamos a ver, partes iguales, un trozo cada uno y lo que alcance a cubrir, ¿estamos? Bien. ¡Órale!, Paquita la del Barrio se ha ofrecido a darnos una serenata mientras trabajo... ¿Me estás oyendo, inútil? A petición del público haremos un dueto.

Chata, sólo una chichi: Ciento cincuenta gramos de mantequilla, definitivamente... *Perdida, te ha llamado la gente sin saber que has sufrido con desesperación, vencida, quedaste tú en la vida por no tener cariño que te diera ilusión...* ¡Qué pezón, niña!: doce cucharadas de leche... *Perdida, porque al fango rodaste después de que destrozaron tu virtud y tu amor...* Güera, la papada, para hacerte el favor completo...

Tú olvidas tu pena bailando y tomando, fingiendo reír, y el frío de la noche castiga tu alma... Nueve cucharadas de harina copeteadas, con una pizca de sal más una y media cucharada de royal... *Amor de la calle, que buscando vas cariño, con tu carita pintada, con tu carita pintada, con el corazón herido*... Francisco, se va a confundir el pastel con tu tono de piel... *Pero que mal te juzgué, si te gusta la basura, pero mira qué locura, pero para ti está bien*... En tu panza: doce tablillas de chocolate e igual número de azúcar morena... *Amor, si eres hombre de negocios, todo lo quieres con socios, ahora sí ya te entendí*... Prietito, tan presumido que eras... *¡Ay!, me decepcionaste tanto, que ahí te dejo un cheque en blanco, a tu nombre y para ti, es por la cantidad que quieras, en donde dice desprecio, ése debe ser tu precio y va firmado por mí*... Fernando, con el permiso de tu mujer, y en contra de mi decisión original, en tu pájaro boato: Nueve huevos, ni uno más ni uno menos... *Quiero un amor así, aventurero, que sea un amor fugaz y pasajero, ya no quiero jamás un nuevo nido, sólo un amor así es lo que pido*... El chocolate se derrite con la mantequilla y la leche. Las yemas se baten bien a tomar color limón. Poco a poco se agrega la mitad del azúcar, luego la harina y el chocolate ya derretido y frío. Las claras a punto de turrón, con la otra mitad del azúcar al final... *La vida me enseñó algo muy raro, cuando quise en verdad me salió caro, por eso es lo que quiero, un amor pasajero*... Ahora sí, al horno a trescientos cincuenta grados. Esto es un milagro, ajustó. Maximiliano, ¿qué te cubro?... *¿De qué te sirve tu elegancia y tu hermosura, si naciste destinada a ser basura?, escoria humana, de mujer perdida, que naciste con el alma envilecida*... Donde se supone que estaba tu cerebro, que de seguro era como el betún: Seis tablillas de chocolate semiamargo, tres tablillas de chocolate vainilla, un cuarto de crema, media taza de azúcar glas, cuatro cucharadas de leche, cien gramos de mantequilla y una cucharada de vainilla… *Escoria humana, te llevé ante el altar, ante Dios y ante los hombres, tú me engañaste*… Siempre a fuego lento y cuidando que no se queme o se pegue, porque terminan como este pobre infeliz.

Amo este pastel desde que tengo uso de razón.

Soberbio. Como dicen los críticos de arte: un capricho retrospectivo, una instalación de la vida misma: Un hato de chocolate.

Me encantan los días de lluvia, es una lástima que esta noche esté tan seca. Tribu, no se me duerman. La noche es joven, nosotros no, es evidente, pero ésta, su servidora, tiene el alma recién parida. ¡Ayúdenme a celebrarlo!

Vamos a ver, ¿los tiro al paso del metro? No, demasiado trabajo para tan poco resultado. Aunque más de uno aplaudiría el suicidio. ¿Los dejo aquí y digo que eran una secta de narcosatánicos que decidieron quitarse la vida como parte de un ritual de luna llena? Trillado. Este mundo ofrece demasiadas noticias rojas, ya nadie se sorprende.

Piensa, mujer, al rato comenzarán a oler mal y tú eres muy delicada con eso de la peste. Bien decía mi mamá: "Eres tan payasa que ni tus propios pedos te aguantas." Eso que ni qué. Negra, flaca y arrugada, pero bien limpia.

Que siga la fiesta, después nos ponemos serios. Doña Celia Cruz hace su aparición en estos momentos, clan, quítense el sombrero, la reina va a cantar. ¡Azúcar!

Siempre que escucho a doña Celia invariablemente me acuerdo de mi abuelita, eran idénticas; es más, si mi abuela se hubiera dedicado al mundo de la farándula seguramente la habrían contratado como la doble de Celia. Por cierto que cantaba muy bien; a diferencia de su servidora, ella entonaba precioso. Todas las tardes me escondía en el armario para escucharla cantar mientras planchaba esas montañas de ropa que nunca vi disminuir. ¿Me engañaba la vista? No, señores, en una casa todo aparece como por arte de magia: ropa sucia, trastes sucios, polvo, telarañas, humedad, manchas. Aunque nunca me tomé la molestia de obtener esos datos, podría decir que los trastes y la ropa se pelean siempre el primer lugar. Mi abuela, por ejemplo, se jactaba de que ella era quien planchaba más rápido de toda la ciudad; sin embargo nunca, que yo recuerde, la vi haciendo otra cosa por las tardes que no fuera parada a un lado de las columnas de ropa arrugada que esperaban su turno con la paciencia de un santo. Y pensar que presumía tanto eso. Ella vivía con nosotros. Cuando se quedó viuda mi papá la llevó a vivir a la casa, y eso que ella no era su madre biológica, pues mi padre fue adoptado, pero era una mujer que se daba a querer muy rápido. La clave de su éxito es que nunca criticó a nadie; siempre me decía: "Si no tienes nada bueno que decir, mejor no digas nada." Y lo aplicaba todo el tiempo. Además, no recuerdo un solo día en que no sonriera. Era una sonrisa con cuerpo, todo ella parecía que se contoneaba con sus carcajadas, como una metáfora, un río escandaloso, una cascada de puros dientes. El mal humor simplemente se olvidó de llegar a su vida. Para ella todo tenía una solución, el problema más grande o la tragedia más espantosa no la asustaban, y mucho menos conseguían obscurecer su rostro. La vida es una ocasión para divertirse, ésa era su filosofía. Eso sí, mucha risa mucha risa pero casi nunca la escuché platicar. O cantaba o se reía. En serio, fueron contadas las veces que esa mujer hilvanó más de cinco oraciones seguidas. Prefería el lenguaje corporal al oral. En cambio, yo no sé de dónde lo saqué, pero desde que salí del vientre de mi madre mi garganta ha estado dispuesta a utilizar todo su repertorio y su capacidad. Mi boca nació disociada de mis complejos. A veces me ponía como reto que ese día no iba a hablar nadita. Casi siempre fracasé. Este individuo fue el único que consiguió hacerme una parlanchina interna, claro que con su ayuda, amigos, pues sus ánimos lograron lo que toda mi familia no consiguió: me silenciaron, es cierto, mas encontré la manera de seguir platicando. No me importó hacerlo conmigo misma o con las cosas que me rodeaban, era más entretenido hablar con la lavadora que con ustedes... ¡Ah!, mis hijos sí me escuchaban, por lo menos mientras fueron niños; una vez que crecieron optaron por seguir el ejemplo de su pinche padre.

Hace algunos años leí un libro que describía con detalle la castración de una niña africana, y me puse a llorar. La verdad es que no lloraba por la niña, sino por mí. Ese cinturón de castidad que le bordaron con su propia piel era más real que el que la sociedad, y yo misma, me había puesto. Mi cinturón estaba hecho de dos hilos: de tabúes y de miedos. A punto cerrado, con un derecho y muchos reveses. Lo peor es que permití que se hiciera real, lo podía sentir entre mis piernas, estorbándome para el sexo o para caminar. Aunque nació de mis fantasías torcidas, llegó a ser tangible. Y pensar que hasta me sentí orgullosa de tenerlo, pues creía que era parte del paquete de ser mujer: que una dama no podía permitir que se le ablandara la moral; que los deseos eran contrarios a la ley del matrimonio; que Emma Bovary, a pesar de implorar para que sus sueños abandonaran la estrechez de su casa, era una inadaptada y se arriesgaba únicamente por satisfacer sus caprichos de niña, al entregarse ciega y sorda a un amor que no la iba a ser feliz; que Ana Karenina pagaba el precio justo bajo los rieles de la locomotora por haber cambiado el amor desinteresado de su hijo por la pasión de un hombre más joven que ella... Estúpida, todas esas conclusiones no eran más que las anclas que necesitaba para no naufragar en esta travesía, pero una vez más la ironía se hizo presente en mi vida, pues no sólo choqué contra las piedras,sino que me hundí hasta el fondo y me llevé todo el lastre conmigo, para que esos fantasmas necios me recordaran el peso de mis errores...

Bueno, lo último de lo último fue que me tragué esa idea de que no se debe tener sexo por placer, sino sólo para procrear. Ahí sí me brinqué la barda. ¿Cómo era? Ah sí, no se debe tener sexo cuarenta días antes de Navidad, los ocho días posteriores al Pentecostés, durante el embarazo, treinta días después del parto si es niño y cuarenta si fue niña, y los cinco días que preceden a una comunión... No recuerdo dónde lo leí, pero creo que Maximiliano le aumentó algunas fechas de su cosecha. Lógicamente, no me quejé; es más, fue de las pocas cosas que le agradecí a este mierda, que en el sexo fuera tan "controlado". El tema de la sexualidad nunca fue mi fuerte, es cierto. Me empapé del tema, busqué en mis libros las respuestas, discutí con los ensayos del erotismo y la nueva sexualidad, me aprendí de memoria las perversiones, pero nunca logré comprender más allá de lo que mi cabeza tenía como idea primera: El sexo no era para mí, punto... Si yo hubiera pensado de otra manera, digamos, de forma menos tendenciosa y fuera de los preceptos de esta sociedad limitada, estoy segura de que no hubiera dejado nunca a Miguel Ángel. Fue mi novio de juventud, un novio al que adoré. Bailaba de modo sensacional y me quería mucho.

Con él podía platicar horas enteras y nunca se cansaba de mí; por el contrario, se enojaba si me quedaba callada. A él sí le gustaba yo como era: morena, flaca y parlanchina. Huesito de pollo, así me decía. Era todo detalles, una fiesta con pantalones, cariñoso, divertido, pero muy afecto a empinar el codo. Mis papás lo aborrecían, sobre todo mi madre. Decían que era un borracho sin futuro y que iba a hacerme sufrir mucho. Si pudieran verme ahora. Según ellos, Maximiliano era un caballero, un buen partido, un hombre decente... ¿Decente? ¿Por qué? ¿Porqué no tomaba más que las copas que te dan el título de bebedor social, aunque siempre trajera una en la mano? ¿Por qué nunca se carcajeó y prefirió fingir curvando hacia arriba el lado izquierdo de sus labios? ¿Por qué prefería su trabajo que a su mujer? ¿Por qué nunca me besó en público? ¿Por qué según su filosofía personal yo no tenía alma, como los animales, y tratarme de esa manera era la forma idónea de querer a una mujer? ¿Por qué con cubrir los gastos y generar dinero estás construyendo una familia? No, Maximiliano, mis padres confundieron tu frialdad con carácter. Yo también me confundí pero no por las elucubraciones de mis papás. Una tarde de fiesta, la tía de Miguel Ángel, que lo había criado desde que quedó huérfano, me llevó aparte y me dijo, con toda su jerigonza chiapaneca: "Miralo, hijita, vos sabes que te quiero reteharto y que más lo quiero a mi Miguelito, pero necesitás verlo bien antes de que te enemistés con tus madre." Sin que pudiera responderle nada fui arrastrada hasta su casa y ahí, con una patada que el mejor futbolista habría envidiado, abrió la puerta del cuarto de Miguel Ángel. Estaba tirado sobre la cama, durmiendo una borrachera sensacional. El hilo de baba y la pose de descuajaringado no lograron el impacto que deseaba su tía; sin embargo, el hoyo de su calcetín roto fue un detalle mortal para mis sentimientos y mis dudas. Un trozo de tela descosida fue capaz de hacer un agujero en mi estómago, y ese espacio devoró todo lo que sentía por él... No permití que me volviera a ver. Cuando me llevó serenata, pensando que estaba yo enojada por su pachanga, no tuve el valor de salir y decirle la verdad. Ésa fue mi primera noche de insomnio total. Dejé que el amanecer me sorprendiera y me diera una lección: lo quería, pero mi cobardía era superior a mi amor. Estaba yo asqueada, no podía soportar esa imagen; era demasiado para una niña malcriada que se negaba a ver el mundo real. Mis fantasías de entonces eran capaces de ocupar mi cuarto entero y el jardín de los deseos ajenos... ¡Un pinche calcetín roto!, qué bruta era. De lo que siguió ni siquiera puedo culpar a mis padres o a este porquería enano. Yo permití que mis miedos me ganaran. Hice una apuesta y perdí. Creí que la seguridad económica y el "respeto" de este caballero eran los salvoconductos para una vida feliz. La fiesta, la risa y el amor desbordado de un borracho no podían traerme nada bueno. Además, Maximiliano era un partido ideal, según mis padres: era blanco, de ojo verde, joven de buena cuna, mitad mexicano y mitad extranjero. Podía "mejorar la raza", como sentenciaba mi madre; era mi oportunidad de salir honrada del pueblo, la ganga para arrancarme el mote de nueva rica de una vez por todas.

Si me dieran la oportunidad de volver, me quedaría con Miguel Ángel. A pesar de mis padres, a pesar de mis sueños o de un futuro incierto, pero definitivamente hubiera vivido a plenitud. Y me vale madre que el hubiera no exista, estoy segura de que con él las cosas hubieran sido distintas; estoy segura de que con él me habría muerto de amor, porque él sí me quería y no tenía miedo de demostrármelo. Quizá hoy seríamos un par de teporochos pobres, "la guayaba y la tostada", pero no dudo que mi cara estaría marcada por una sonrisa perenne. Apostarle al amor, eso era todo, tan fácil, mas no me atreví. La factura me llegó y ni cómo negarme, me toca pagar el precio; es clara la lección.

"Un abrazo con amor te ayuda a tener más confianza en ti mismo, saber que alguien te desea es suficiente para que te quieras más." Así decía una carta que le escribió un novio a mi hijo Max. Cuando lo leía, la primera vez, pensé: que pinches cursis son los gays; pero ahora me suena bien. Bueno, suena interesante, o ¿cómo decirlo?, quizá se escucharía bien... ¿Será porque nadie me dijo nada parecido a eso que se me hace cursi, o realmente es patético esto del amor literario? ¿A estas alturas estaré vacunada contra el verborreo amoroso? No lo sé.

Hagámosle caso a los sabios: Si no lo viviste de joven, pa' qué chingados quieres saberlo de vieja.

¿Tendrán razón los cabrones? Ya me volví a enredar.

Esto parece funeral. Ya sé que yo tengo la culpa. Prometo contar cosas más divertidas... Es más, les voy a leer un cuento que escribí hace muchos años. En uno de mis cuadernos está, espérenme tantito...

Madre de Dios, tengo tantas listas de pendientes que voy a necesitar tres vidas más para cubrirlas: Libros por comprar; ciudades por visitar; cuentos por escribir; películas por ver; música por comprar, ¡Dios mío!, ni pa' cuando terminar, digo yo... Aquí está... Siéntanse afortunados, es el primer cuento que escribí en mi vida y ustedes van a ser los primeros en escucharlo. Déjenme aclarar la garganta con una copa... Listo. Título: "Biografía no autorizada de Elodia Guadalupe María Teresa." Nota: está basado en una historia real; por ende, haré una lectura dramatizada, o sea, actuaré mientras lo leo, es lo menos que se puede hacer para restituirle un poco de dignidad a la historia. Dice:

"Como toda biografía, autorizada o no, siempre es bueno comenzarla con la fecha de nacimiento de la persona por despedazar, para así encerrarla en un marco histórico de referencia. Pero tendrán que disculparme en esta ocasión, pues ese dato resultó imposible de conseguir.

No sólo es por la completa inexistencia del acta de nacimiento de Elodia, sino que, dentro de su familia, nadie se tomó la molestia de recordar los hechos relativos a la historia de la pequeña. Cuando vieron que era mujer, decidieron continuar con su vida y con todos los ritos, para hacer de ese error una ocasión para olvidar. Sin embargo, siempre existen personas que, por costumbre o por pura fijación, deciden aprenderse las anécdotas de los demás; quizá sea la mejor manera de hilvanar los días subsecuentes y no caer en el terrible hecho de ser un viejo sin historias que contar. De aquellos que se arriesgaron a grabar en su memoria algunos datos es de donde comencé a pegar esta historia tan peculiar.

Cuentan que la niña Elodia nació de puro milagro, pues esa noche todo estaba en contra de los seres humanos. Uno de los peores aguaceros de la temporada hacía gala de toda su magnitud; el cielo, no conforme con arrojar gruesas y constantes gotas de agua, también colaboró con pequeños pero furiosos trozos de hielo, que descalabraron a más de uno que no valoró la fuerza de la naturaleza; el viento y sus inseparables relámpagos hicieron bien su tarea, sumergiendo al pueblo entero en la completa oscuridad, ya que la casa donde se encontraba la Compañía de Luz y Fuerza sucumbió en los primeros minutos del ataque.

En medio del tremendo vendaval, el médico de cabecera de la familia se encontraba totalmente borracho, lo cual no era novedad, pero sí un inconveniente digno de ser tomado en cuenta. El proveedor de ese santo hogar se empeñaba en ser un acróbata entre las piernas de su nueva amante, por lo que no se le podía interrumpir, ya que el riesgo era que, o te vaciaba la pistola que siempre lo acompañaba o te aumenta el ritmo de trabajo hasta llegar al mismo resultado que en el primer caso. La diferencia era en el tiempo que tardarías en morir; la nana, una anciana que estaba a cargo de todos los habitantes menores de edad de esa casa, decidió no salir de su cuarto, pues, aparte de las almorranas que la atormentaban, no se veía la luna y eso era un presagio de mala suerte.

Dado el cuadro anterior, aunado a la escasa imaginación de la parturienta y a la temperatura que congelaba hasta las mejores intenciones, no quedó más que recurrir a la vecina, doña Gertrudis, viuda famosa por curar borrachos con métodos poco ortodoxos.

Después de 14 horas de parto apareció una criatura fea, hinchada y escurridiza (según la sirvienta, ni las hábiles manos de doña Gertrudis lograron evitar las dos caídas libres de la niña) en la casa ubicada en la calle 12 de Diciembre del bien conocido pueblo de San Cristóbal de las Casas, Chiapas (sí, del estado incómodo de la República Mexicana).

Por nombre se le puso Elodia –por su santa abuela–, Guadalupe –por agradecimiento– y se le acompañó de algunos nombres como María Teresa Salomé Margarita Inocencia, para no agraviar a ninguna de las parientes más cercanas. Todo hace suponer que se le permitió usar los apellidos de ambos padres, para no marcarla con el símbolo de bastarda; pero definitivamente no se cuenta con elementos físicos para probarlo, pues esa noche lluviosa de un mes muy frío quedó entre los estantes de un año que no se registró.

La niña llegó a engrosar el hogar del bien avenido matrimonio de doña María Candelaria del Sagrado Corazón de Jesús y don Abelardo José Francisco Iturbide, ocupando el número trece en la lista de hijos enviados por Nuestro Señor. Como dato adicional, fue la única del sexo femenino en ese clan, fuera de la servidumbre y la madre.

La madre suplicó encarecidamente que le dieran el permiso para bautizar a la pequeña, argumentando que, ya que irremediablemente iba a ser una mujer fea, por lo menos había que ayudarla quitándole el mote de hereje. Y no es que en esa casa se pasaran por alto los sacramentos más elementales, sino que, como era una mujer la causante de los gastos, el padre tenía sus dudas. Después de los cuarenta días de encierro y caldo de gallina –reposo acostumbrado de las parturientas–, el permiso le fue concedido. El sacerdote del pueblo, don Remilgio, mojó la cabeza llena de pelos de la pequeña –por el doble de su pago habitual– y procedió a beber chocolate con el centenar de invitados al convite, no sin antes lanzar su clásica condena cuando bautizaba a una niña: "Entre más pronto la casen, menos serán sus sufrimientos en este mundo."

Lamentablemente, tampoco encontré un papel que probara su entrada en el reino de los elegidos, pues la iglesia desapareció, con todo y sus archivos, tras un singular incendio (1945), y en el archivo familiar aparecen los documentos de todos los hijos, pero sólo de los varones.

El jolgorio terminó tres días después y no fue por falta de alcohol, comida o ganas, sino por la muerte repentina de don

Abelardo, el decepcionado padre, al caer desde el techo de su casa.

¿Cómo sucedió? Las malas lenguas dijeron que quería ver a doña Conchita haciendo sus sagradas necesidades; pero como el techo estaba lleno de lama por la temporada, convirtió al voyeurista en patinador neófito. Otros aseguran que don Abelardo estaba en tal estado de ebriedad que decidió demostrarle a su amante, y amigos varones en general que seguía siendo muy macho. Cuando la apuesta fue puesta en la mesa, él la tomó sin regatear. Se trataba de cantar tres corridos completos desde donde todo el mundo pudiera escucharlos con claridad. A falta de escenario teatral, decidió hacerlo justo donde ondeaba la veleta-gallo y pararrayos de la casa. Pero ya fuera por mirón o por imaginativo, lo cierto es que su cuello no soportó aquella fórmula de masa por aceleración y ahí quedó, en medio de la letrina, aplastando de paso a doña Conchita, famosa solterona por convicción y embarrada en plena acción.

Debido al bochornoso accidente, el resto de la familia se vio obligada a trasladarse a la capital del estado: Tuxtla Gutiérrez; población un poco más grande que San Cristóbal, con un clima totalmente equidistante de su lugar de origen, pero a final de cuentas el único refugio decente y centro de los poderes. (Don Abelardo, como buen ex funcionario estatal y cacique conocido, había tomado sus precauciones en vida, al aceptar como regalo del gobernador unas casitas y terrenos en aquellas tierras donde el calor rondaba los 42 grados a la sombra durante los peores meses del año.)

Al arribar, doña María se fijó dos metas: una, que sus hijos (los varones) pudieran labrarse un futuro prometedor; dos, que siguieran los pasos de su padre.

Doña María tomó la casa grande, de 12 cuartos y estratégicamente ubicada sobre la calle principal, a dos cuadras de la catedral y el palacio de gobierno. Puso en renta las otras casas y se instaló para pasar el resto de sus días, dedicando cada hora a sus hijos, los hombres, para realizar sus objetivos –que, por cierto, no se le cumplieron.

Los años pasaron y Elodia, niña poco agraciada por el Señor, pero bien dotada para las labores propias de su sexo, fue abandonando sus primeros años de manera rutinaria. Creció como la mayoría de las mujeres del pueblo. cambiando los verbos por los gerundios femeninos: cocinando, lavando, trapeando, barriendo, cosiendo y rezando. Destacó en esas dos últimas actividades, pues podía terminar un vestido dominguero en dos días sin desatender sus actividades cotidianas. Realizaba los ropones para los santos de la catedral e iglesias anexas –sin cobrar y a la velocidad requerida, para que durante las fiestas de cada patrón se pudiera presumir de ser un pueblo muy devoto–, por lo cual le fue puesto el original apodo de "La araña". (en una versión no confirmada, dicen que el apodo se debió a la forma de su bigote hirsuto, que por cierto fue su sello distintivo durante su larga vida).

En cuanto al rezo, era la mejor. Se sabía todas las misas, rosarios y posibles lamentaciones. Oraba con tanta convicción que, casi siempre, terminaba rozando el término de éxtasis religioso. Se tiraba al suelo, con los brazos extendidos, sin bajar nunca el volumen de su aguda voz. Para levantarla se necesitaba a dos de los hermanos, y una ración de patadas para sacarla del trance. Después se procedía a propinarle unas cachetadas concisas, para que dejara de llorar (otra de sus especialidades: berrear como Magdalena).

La primera vez que asistió a un entierro –se cree que tenía diez años– tuvieron que arrancarla del ataúd, pues planeaba irse al hoyo con todo y muerto, el afamado presidente municipal don Absalón. Se armó tal alboroto entre los presentes que invariablemente se inició un rumor diciendo que Elodia era hija ilegítima del distinguido finado –no se les puede culpar de mala fe, pues medio pueblo ostentaba ese título–. Doña María, casi infartada, castigó a la exhibicionista y la hizo cargar en su pecho la foto de su verdadero padre durante seis meses.

Al transcurrir los años, el guardarropa de Elodia se transformó en varios vestidos negros, largos y muy decentes. Se volvió indispensable en todos los velorios, desde el del humilde y siempre bien querido gobernador interino en turno hasta el del guajolote de doña Cachita. Además, fue la encargada de coser los vestidos de todas las damas de la recatada sociedad tuxtleca. Su progenitora, al darse cuenta de las habilidades de la hacendosa niña, decidió poner una tienda de vestidos de novia que, en poco tiempo, se convirtió en la más visitada y prestigiosa de la capital y sus alrededores. Por ahí pasaron todas las novias, pues Elodia tenía un don tan especial para diseñar con ojo clínico los vestidos que cubrían los defectos de las muchachas y hacía, de cualquier detalle, toda una virtud concedida por la benevolencia del Altísimo. Flacas, gordas, enanas, gigantes, feas, bonitas y extrañas, vírgenes o pecadoras, todas salían contentas de "La última esperanza", donde había "vestido de todos color y también verde".

Cuando Elodia cumple quince años, su madre decide darle la tarde libre, para que pueda terminar su vestido. La adolescente realiza con seriedad el ritual de adornar su sencillo vestido, aplicándole lazos de color azul, añadiendo rosas blancas y amarillas, colgándole perlas grises, crisantemos, ramilletes de alcatraces, chaquira plateada y un toque de buen gusto con polvo dorado.

Cocinó para 200 personas; limpió la casa; arregló la iglesia; puso velas a todos los santos; regresó a cerrar el negocio; rezó un rosario; leyó su fragmento favorito de la Biblia en voz alta; se vistió y partió a pie a la iglesia. La emoción es tanta que llora durante todo el camino, deshaciendo de paso el escaso maquillaje permitido para la ocasión.

En la iglesia experimentó alegría, pero inmediatamente se arrepintió, ¿Cómo osaba sentirse feliz cuando Nuestro Señor seguía clavado en la cruz, sufriendo por nosotros? Por ello procedió a tirarse al suelo, en pleno ataque de culpabilidad. El sacerdote, acostumbrado a estos arranques, dijo la misa, haciendo énfasis en la virginidad, el pudor, y de paso insertó entre líneas un panfleto socialista en protesta por la desigual distribución de la riqueza entre los blancos dominantes y los indígenas numerosos. Los feligreses, habituados al sacerdote, abandonaron la iglesia en silencio. Esta vez se necesitó a tres hermanos y dos vecinos para levantar a Elodia, y una especial ración de golpes para que dejara de llorar. Una vez que se recuperó, corrió a su casa a cambiarse, porque la sangre había echado a perder su precioso vestido. Para poder atender a sus invitados, se aplicó unos filetes crudos en los ojos y, en menos de lo que canta un gallo, recuperó la vista. Según relatan, el truco no le funcionó a la perfección, pero el alterar el orden de los platillos no le impidió lucirse como una excelente cocinera. El cochito fue el más elogiado; el arroz con menudencias mereció varias repeticiones; las garnachas causaron la envidia de las mujeres; las turulas, el gozo celestial del sacerdote; las tortillas hechas a mano, un gesto de aprobación generalizada; los frijoles con queso fresco, un fuerte pellizco de su padrino; el tasajo con chirmol, la sopa de chipilín, las hojuelas con miel, el pucxinú, las dobladas y los tamales de cambray, bola y yerba santa, fueron el broche de oro.

Elodia sirvió cada uno de los platos, los levantó y lavó. Guardó el resto; acostó a los hermanos; limpió la casa; corrió a los borrachos; quitó cada adorno y, cuando estaba amaneciendo, se fue a acostar. Pero se levantó de inmediato, para no perderse la primera misa del día. Tenía que agradecer por las bendiciones recibidas y, de paso, confesarse por el derroche y un pecado nuevo.

En la fiesta hubo un muchacho que le sonrió todo el tiempo, y ella no supo cómo reaccionar. En un principio sintió cosquillas en el estómago, pero pensó que era por la sangre que seguía brotándole por la nariz y que hábilmente inhalaba para que nadie la notara. Cuando estuvo cerca de él, la emoción fue tanta que derramó un plato entero encima del sonriente caballero, con lo que sus instintos morales se accionaron de inmediato; mas el destino le tenía otras sorpresas para la velada. El joven, a pesar de estar cubierto de una rica variedad de alimentos, alcanzó a rozar el brazo amoratado de la quinceañera, a la par que soltaba algunas frases de novela romántica de entregas quincenales. Obviamente, esto fue el acabose. El resto de la noche, Elodia evitó pasar cerca del atrevido y puso sus dedos en el comal caliente, para que se le borrara la sonrisa que traía encima de la cara y el cuerpo.

Un día como cualquier otro, nuestra activa joven llegó a su casa, encontrando a su mamá con dos señores. Saludó, sin verlos a los ojos, y se retiró a su cuarto a rezar. Pero su corazón le hizo saber que uno de los visitantes era el causante de sus pecados mentales. Esa noche no pudo dormir y le pidió al mismísimo Jesús que la salvara de este trance. Ya sea por su experiencia o por su énfasis, esta vez su voz fue escuchada en las alturas. Al otro día, durante el desayuno, le fue dada la noticia: se casaba en dos meses, el mero día de la Santísima Trinidad. Elodia, como siempre, preparó todo para la recepción, incluyendo el vestido, y no se le ocurrió decir nada.

En este acto no se permitió el lujo de emocionarse, pues tuvo que trabajar el doble, y ya había conseguido erradicar de su cuerpo la tentación del placer terrenal. A base de mucha oración, disciplina y sacrificio, logró hacer del sentimiento una razón más para luchar. Pero el sacrificio sí le gustó. Y ahí comenzó su verdadero camino, su oficio en la vida; su destino indiscutible.

El apuesto galán que le fue asignado se llamaba Roberto Celerino Vicente, muchacho de clase media, sin oficio conocido; sin herencia y sin ganas. Tenía fama de haragán, lento, torpe y poco inteligente, pero a fin de cuentas servía para marido, según doña María.

El día de la boda, la responsable de salvaguardar el honor de esa casa se vio obligada a tener una plática seria con su hija. Entre otras muchas cosas, le prohibió que se tirara al suelo como acostumbraba y que no se le ocurriera el disparate de ver a su nuevo dueño a los ojos; si pensaba hablarle, que lo hiciera sólo si le preguntaba algo en concreto, y sobre todo que nunca, nunca, olvidara la sentencia que, con todo su amor maternal, le regalaba como primer obsequio de bodas: "Eres mujer, naciste para ser desgraciada."

En la noche de bodas parece que todo lo que tenía que

suceder, sucedió. ¿Cómo exactamente?, nadie lo puede asegurar. Pero, por los antecedentes del novio, debió ser rápido, preciso y conciso. Al menos surtió efecto, pues a los nueve meses exactos nació un varón que, en vez de llorar, bostezó.

¿Te suena familiar, Güera? Perdón. Continúo:

Al día siguiente de la ceremonia, muy temprano, doña María se instaló fuera del cuarto nupcial, dispuesta a obtener respuestas. Con paciencia soportó las largas horas de espera, pues el yerno no se levantó hasta las cuatro de la tarde. Pero tenía que ser la primera en saberlo. Cuando el flamante esposo apareció, fue atajado directamente por su suegra:

–¿Y bien? ¿Qué te pareció? ¿Puedo salir a la calle con mi frente en alto?

A lo que el taimado joven respondió con un elocuente:

–Sí.

Satisfecha, la señora quiso entonces ver a su hija; pero Elodia continuaba encerrada en el baño, llorando. Doña María, sin dar muestra de enojo delante de su yerno, pidió permiso para interceder. Él, no encontró razones para impedir la intervención y se fue a dormir una siesta en la hamaca del patio. Después de un corto silencio, roto por unos golpes sordos, aparecieron las dos mujeres en la puerta. Inmediatamente, Elodia retomó su puesto en la cocina y no se habló más del asunto.

Por decisión familiar, los recién casados se quedaron a vivir en la casa materna –que por cierto se encontraba aún habitada por todos los hijos de doña María–. Ya que la abnegada madre no estaba en edad de tanto trajín, y las reglas de la vida dictaban que todos los hijos tienen que ser agradecidos con sus padres, pues alguien tenía que cargar con las obligaciones caseras, y ese título recayó en Elodia. Pero la recién desposada había tomado una decisión antes que sus familiares: necesitaba tener su propio espacio. A paso redoblado, trabajó más duro que nunca, y al poco tiempo (dos hijos más) consiguió comprarse un terreno, donde se trasladó con el marido y los tres hijos.

A pesar de las lágrimas maternas y los reproches de cada uno de los hermanos, Elodia no alteró en nada su plan original. Ahora era una mujer casada y con obligaciones, así que, previo acuerdo firmado (en cuestiones de la división de las ganancias de la tienda, 80% ellos, 20% ella), dejó aquella casa para siempre.

Mientras trabajaba entre telas y botones tuvo que construir su casa sola, pues Roberto sufría una extraña enfermedad que no le permitía levantarse de la cama hasta después del mediodía, y mucho menos realizar trabajos pesados. Pero ésa era una de las cuatrocientos cincuenta y ocho cosas que no le importaban a Elodia. Sabía que las piedras que Dios le ponía en el camino eran pruebas que tenía que superar. No era justo que sólo Él cargara con una cruz.

Con la experiencia de todos esos años, y un nuevo don que le nació entre sus noches de insomnio (experta en contratos ventajosos), abrió otra tienda y, esta vez, las ganancias fueron a parar exclusivamente a su bolsillo.

Al cabo de una década, Elodia había conseguido una nueva definición: ahora era rica. Pero no se permitió caer en el pecado de la ostentación. No, señor. Su casa siguió siendo una mezcla extraña de pésimo gusto y mala distribución. El boato era contrario a sus sentimientos. Sin embargo, su dinero supo encontrar vertientes donde, día a día, se multiplicó como conejos en celo. Compró casas, edificios, lotes, hasta un rancho, donde sembró maíz, que ella misma vigilaba, recogía y vendía.

Libre ya del influjo materno, y con el marido detrás de la

caja registradora de la tienda (único oficio conocido en su vida), Elodia se dedicó a colocar a sus hermanos en diversos puestos gubernamentales, aprovechando que varias de sus clientas eran la próxima esposa de don Fulano o de don Mengano de tal. Y se encargó de que nunca los molestaran, y mucho menos los movieran de sus cómodos puestos, que si bien no arrojaban grandes dividendos, le permitían a Elodia tenerlos a todos ocupados, aburridos y con las manos fuera de la tienda.

Así, la vida de Elodia transcurrió entre rezos, desgranes de maíz, comidas, hijos –nueve hombrecitos en total– y desgracias. He aquí una de sus verdaderas cualidades puestas por fin al descubierto. Sin quererlo, Elodia se convirtió en una especialista de las desgracias, haciendo del sufrimiento su motivo para vivir; convirtiendo su diario caminar en una lista interminable de anécdotas que siempre tenían la particularidad de terminar mal.

El primer recuerdo claro que tengo de ella es cocinando para la fiesta del abuelo –antiguo cacique, actual millonario–. Cabe aclarar que la tía Elodia era capaz de ponerse el mandil, cargar una criatura, preparar el pollo, regañar a los invitados, quejarse de los pies y gritarle al marido, todo al mismo tiempo. Cuando se percató de mi presencia, me abrazó y besó como sólo una madre mexicana puede hacerlo; puso en mis manos una hojuela batida en miel y, con una nalgada como despedida, fui enviado al patio a jugar.

En el siguiente encuentro cometí un pequeño error. Se me ocurrió preguntarle:

–¿Cómo está, tía?

En ese preciso instante el silencio se apropió del espacio, como cuando amaga una tormenta; sentí la mirada fría de mis familiares y, como castigo, me dejaron solo con ella. Tuve que escucharla durante tres horas seguidas e intentar asimilar las variadas quejas, su dolor de rodillas, sus penas del alma –todo sube, sólo bajan las desgracias–, hasta que me salvó la campana: llamaron a comer. Y, como nunca, quise sentarme a la mesa sin importarme lo que ahí se sirviera. Cansado y medio sordo llegué hasta la silla, donde mi mamá me dedicó una mirada con moraleja. Fue la lección que más rápidamente aprendí en mi vida.

Elodia dejó que su extraña enfermedad ("todo" le sucedía a ella) se desarrollara con vertiginosa rapidez. Ejemplos varios. Un riachuelo que pasaba cerca de su casa se convirtio durante la temporada de lluvias en un caudaloso río que arrasó dos veces su casa (según cuentan, el que se dio cuenta fue su marido, cuando se percató de que su cama ya estaba en la sala); mientras recogía el maíz de la cosecha, un cazador la confundió con un venado y le disparó (tres perdigones en la pierna derecha, nada más); una tarde de mucho calor se puso a regar su jardín exuberante, se enredó con la manguera y terminó con los dos brazos fracturados; unas vacaciones de Semana Santa, para ahorrarse los gastos, viajó en su vieja camioneta al norte del país para visitar a uno de sus hijos que estaba "estudiando", pero dos kilómetros antes de llegar a su destino, un imprudente se les atravesó y ella salió volando por el parabrisas: terminó tres metros después de la meta y con el cuerpo roto en diversas partes (el helicóptero que la tuvo que transportar salió más caro a final de cuentas, y eso sí le dolió).

Las desgracias más inverosímiles rondaron su leyenda y se le almacenaron en el cuerpo. Eso la convirtió en una mujer feliz, claro, a su manera. Gozaba sufriendo, porque así aseguraba su lugar en el cielo, cuando el Altísimo la mandara llamar. Pero

97

aclaro, así la veía yo; los demás tenían su propia teoría, que por cierto se alejaba mucho de mis pequeños razonamientos.

Entre tragedias y calamidades Elodia siguió trabajando, pues no encontraba nada mejor que hacer con su vida. Consiguió asegurar el prestigio de la tienda cobrando caro; también se convirtió en el perfecto paño de lágrimas de todas las muchachas, pues cuando éstas le contaban sus penas, la experta las callaba relatando sus experiencias, abrumándolas con datos específicos y asustando hasta a la más incrédula. Cuando abandonaban la tienda, sabían que a ellas no les pasaba nada en comparación con las catástrofes de esa santa. Elodia sí sabía sufrir.

Su carrera religiosa prosperó. Con mucho esfuerzo y aniquilando a su competencia (en eso sí existían rivales dignas de ser tomadas en cuenta), consiguió ser altamente reconocida en velorios, misas de cuerpo presente, rosarios, entierros y todo acto de carácter místico. Durante un tiempo se rentó para llorar en los funerales. Pero dejó de cobrar, pues era pecado.

Al cumplir cuarenta años –dato poco confiable–, Elodia decidió ir al Vaticano, pues no creía merecer más tiempo que el crucificado. Y no quería dejar este planeta sin antes haber conocido al mero representante del Señor.

Se preparó para partir. Hizo una maleta con dos vestidos negros, tres rosarios, su Biblia favorita, ocho calzones, sus lentes, dos libros de oración (especiales para la noche); tres velos, un par de guantes negros, su colección de estampitas de santos, las fotos de sus hijos y la de su boda, para que fueran bendecidas por su santidad. Incluyó a San Martín de Porres, a San Marcos, al Niño de Atocha, la Virgen de los Dolores, la Virgen de Guadalupe, y la foto del gobernador, para que le sirviera como pasaporte.

Salió de su casa muy decidida. Claro, dejó preparada comida para un mes; lavó hasta la ropa limpia; dio órdenes; se quejó; preparó todo para su entierro (por si acaso), escogió las velas que debían poner en la iglesia y recomendó a tres sacerdotes para que oficiaran una misa especial. Triste, pero emocionada, partió de su casa.

Tomó el primer autobús que salía para el Distrito Federal. Pidió el asiento del fondo y, aunque fue advertida que se iba a marear, ella insistió: si quería disfrutar del viaje, había que sufrir un poco. Mas no tuvo que hacer mucho esfuerzo: a las dos horas de camino ya la había vomitado su vecino de asiento; un niño le había embarrado el pelo con dulce de cajeta; y platicó con un adventista del Séptimo Día –lo cual le provocó un fuerte dolor de cabeza, porque no logró convencerlo de cambiarse de bando–. Pero aun así, en la noche rezó por el triste pecador desorientado.

Después de treinta y seis horas de camino, tres ponchaduras de llanta y uno que otro "gas" compartido, llegó a la Ciudad de México: La capital del vicio.

Antes de bajar del autobús, se persignó y encomendó a todos los santos conocidos y a todos aquellos personajes que tenían más oportunidad de ser canonizados (se dice que ella postuló a Juan diego, mucho antes que fuera noticia-negocio). Para no gastar, decidió arriesgarse y tomó el metro, donde al entrar le fue arrancada su medallita de la Virgen de Guadalupe con todo y sostén. Sorprendida y atarantada por la cantidad de personas, la escasez de oxígeno y la velocidad, se dejó caer en un asiento milagrosamente vacío. Para no perder el control de su persona, comenzó a contar el número de vendedores ambulantes que ofrecían toda suerte de artículos demoníacos; pero perdió la cuenta al observar aterrada cómo dos jóvenes de escasos 14 años –a juzgar por las trenzas de ella y el ralo bigote de él– se entregaban a una orgía de besos, por demás indecentes e inmorales, además de que la hija de Lucifer le tocaba en salva sea la parte al súbdito de Luzbel, y todo apuntaba a que esa criatura no era nueva en estos menesteres. A punto estaba Elodia de impedir que se cometieran más atropellos a su moral y religión cuando su compañera de asiento habló, pero esa voz no correspondía al cuerpo. Perpleja, la tía contempló al ente que usaba vestido de mujer, traía pintada la cara como una señora, pero lucía más músculos y vellos que ella. Definitivamente, iba en el vagón con dirección al infierno.

Al levantarse, inmediatamente se quedó sin asiento; al no saber qué hacer, imitó a los demás condenados y se aferró a un barrote; acto seguido, un tipejo, con una barba tan larga y ensortijada como su cabello, se colocó detrás de ella para restregarle lo que Elodia después definiría como una linterna de medidas incómodas; lo que nunca entendió fue la letanía que le soplaba al oído, menos de qué se reía, si a la vez se quejaba como si le doliera algo. Definitivamente, ese greñudo era miembro de alguna secta extraña.

Para los que carecen de imaginación les aclaro: el tipo era de la secta Coyoacán-Condesa… Perdón, ya no vuelvo a interrumpir… Te estabas tardando, Güera… ¡Ya voy! Desesperados… Salud, continúo:

Elodia advirtió que un asiento se ofrecía como la respuesta a sus plegarias y se lanzó sobre él, con tanta enjundia y coraje que los demás pasajeros sonrieron al ver que aquella mujer, con toda la facha de provinciana, ya había aprendido las reglas de la jungla. El asiento contiguo a ella estaba ocupado por un muchacho de aspecto serio y responsable, por lo que la tía se sintió en la confianza de poder hacerle una pregunta:

–Jovencito, ¿dónde me tengo que bajar para llegar al aeropuerto?

El incipiente varón volteó a verla con sus grandes y feos lentes de aumento. Después de una pausa, en la que pareció analizar a la extranjera con curiosidad de científico, le contestó:

–Mi primera decepción amorosa, y apenas tengo quince años. Para Angélica fue sencillo, decidió que yo era inexperto, infantil y pésimo compañero de fiestas, además, tenía que cuidar su imagen y definitivamente sus bonos bajaban conmigo. Asaltacunas: "Necesito un hombre, entiéndelo, no es nada contra ti, pero imagínate, hasta para ir al cine necesitas el permiso de tus padres, y dinero, qué oso, no puedes ni votar, mejor olvídalo."

Eso me dijo Angélica en la estación San Lázaro, hoy, viernes de quincena, debajo del letrero "Dirección Observatorio", con la hora congelada, y yo, con el corazón golpeado.

Estación Merced. El calor y los olores permiten que la mayoría de mis pensamientos se evaporen. La lógica definitivamente no es pasajero. Mi cordura de adolescente obliga a mi cabeza a preparar un pretexto fuerte para los amigos y familiares. Soy ahora un ex, tengo ya un récord, el currículum de todo idealista que apuesta al amor como concepto. ¿Por qué me citó tan lejos si de todos modos iba a mandarme a la goma? Señora, yo vivo en Xochimilco. Créame que le hubiera agradecido un poco de consideración, así no me habría perdido la transmisión del partido de futbol

Aquí nos bajamos, señora. Va en dirección contraria al aeropuerto.

Elodia fue arrastrada por su recién autonombrado guía de turistas a fuera del vagón; el joven de aspecto mortuorio la integró a la larga fila de danzantes que se bamboleaban de un lado a otro, como si fueran pequeñas lanchas a merced de un temporal. Elodia, al contemplar el espectáculo, se acordó de sus vacas y becerros. Ahí estaba ella, mugiendo y balando con los otros, que la arrastraban por un pasillo que parecía un túnel con dirección al matadero.

Cuando sus pies se detuvieron, porque los de los demás lo habían hecho, la tía entendió que se había tardado veinte minutos para simplemente llegar al otro lado de las vías. Resignada, y confiando en ese ángel que Dios le enviaba para salvarla, escuchó los lamentos del adolescente sufridor:

—Señora, ¿ve esas personas que están enfrente de usted? Obsérvelas con detenimiento, vea cómo se pegan a la pared; sus ojos evitan nuestras figuras, pero con sus cuerpos nos observan, como si estuviésemos en vitrinas, pero a la vez nosotros estamos en un balcón para vigilarlos a ellos. Las madres, fieles a la leyenda, cubren a sus retoños como si todos quisiéramos ser el lobo feroz. Estoy seguro de que Angélica ya anda con alguien más. Nadie se mira, estamos a unos pasos de distancia, pero parece que habitáramos universos distintos. ¿Tenía razón mi amigo Jorge acerca de que yo debía proponerle a ella cama con condón? Mimetizo mi rostro con los demás. Excelente máscara, las regalan afuera. El sonido tan peculiar anuncia la llegada; la gente preparada, a la expectativa, todavía conserva la esperanza de viajar sentados. Permita salir antes de entrar, ¡ja! Según mi padre, la edad es un problema. Bueno, Angélica creyó lo mismo. ¿Cuándo será a tiempo? Adulto, sólo adulto, porque lo que sucede antes son cosas de niños, y después son necedades de anciano. ¿Faltaron regalos, llamadas? El problema no es que me vean como un niño, sino que me traten como retrasado apopléjico, y ya estoy cansado de ser objeto de tanta lástima.

Elodia estaba haciendo un esfuerzo sobrehumano para entender las palabras de ese joven flemático. La verdad, no estaba entendiendo nada.

—Estación Candelaria. Aquí me la presentaron. Tal vez ésa era la maldición. Éramos un cruce de dos vagones, pero con destinos opuestos. ¿Los poemas eran muy cursis? Diez lápices a cinco pesos, el maravilloso libro para chicos y grandes... ¿sabré besar? Productos de alta calidad pone a la venta el rastrillo sin filo para sadomasoquistas... ¿Se enojó porque no le agarré la chichi? El semanario sin voz informa: ayer el presidente cenó solo... ¿Le molestó que no me dejaran entrar en la disco? Payasos chantajistas anuncian: damitas, señores, prefiero hacer esto que robarles la bolsa o la cartera, qué lindos; acordeones mal tocados zumban en el vagón; sordomudos que pueden correr en la maratón dejan chicles y piden perdón por escrito; cantautores torturan con su cara de no me ha descubierto Televisa aún, y yo sigo pensando en ella. Angélica. Mi vida.

Mi santa tía, al escuchar el llanto del amor de un hombre, intentó consolarlo, pero por primera vez se había topado con alguien que hablaba más que ella y que no permitía que nadie lo interrumpiera.

—Estación Balbuena. Primer beso. El vagón vacío, el corazón rebotando por todos los asientos. Como en el cine no me había atrevido, aquí le di rienda suelta al morbo. Excitación. Aventura y choque de dientes, hilos de baba que nadie te avisa que van a salir. Erección y vergüenza en la cara. ¿Qué está permitido? Palabras en diminutivo, casi sin aliento, depositadas en su oído. ¿Faltó pasión?

Estación Gómez Farías. Aquí aullé. Se subió una pareja y no pudimos continuar con el experimento. Pero aquellos extraños nos regalaron el espectáculo de una sobada. En pleno acelere, él se le restregó como un gato, ella simplemente dejó que sucediera. El vagón comenzó a agitarse y los ansiosos lo hicieron evidente. Mi besuqueada novia puso cara de espanto, me preguntó con los ojos ¿te das cuenta? ¿Usted que piensa, señora, me estaba sugiriendo Angélica que los imitáramos o que pusiera cara de ofendido? ¿Quién las entiende?

Estación Pantitlán. Aquí nos bajamos, señora.

De nueva cuenta, y sin que pudiera chistar, Elodia fue puesta dentro del remolino de personas que se afanaban por llegar a su destino sin importarles si su vecino de maratón se caía o era asaltado. Esta vez caminaron más. Cambiaron de color de línea y mi tía no logró memorizar el recorrido ni los movimientos que el joven realizaba con precisión y hastío. Otro vagón. Otros caminos.

–Estación Pantitlán, señora. De las más grandes. Aquí el felino se bajó. Su compañera esperó sentada la siguiente opción. Adentro quedamos el mirón, la avergonzada, la atrevida y un poco de semen en el suelo y su zapatilla. Una loca se acercó a Angélica y a mí. Nos dijo que trabajaba para la NASA y que estaba dispuesta a compartir los secretos más escandalosos del gobierno si le invitábamos una cerveza. Yo soy estudiante. Angélica era coda.

Vea, señora, las primeras lágrimas que cruzan mi cara. Había prometido no hacerlo, pero soy primerizo en estos asuntos.

Estación Terminal Aérea. Aquí se baja, señora. Buen viaje.

Al salir, o más bien cuando la sacaron, Elodia perdió un zapato y casi la decencia por una certera nalgada que le fue propinada junto con unas palabras que la dejaron pensando: ¿qué idioma hablará esta gente? Pero había llegado al aeropuerto, y llegó gracias a ese extraño serafín que la había mareado con su elocuente descripción de su frustrado amor juvenil.

En el aeropuerto le informaron que necesitaba un pasaporte para salir del país, cosa que no entendió. Lo que sí registró su cabeza fue la dirección en donde podía conseguir el dichoso documento. Aún con fuerzas para seguir luchando contra Satanás, y convencida de que éstas eran las verdaderas pruebas de Dios, se sobrepuso. Tomó un taxi, pese a su rechazo a los gastos superfluos, y arribó a su destino, previo rezo por el perdón de tanto pecador capitalino. En la ventanilla asignada exigió su salvoconducto. El encargado le enumeró los requisitos, entre ellos el acta de nacimiento. Elodia soltó una amarga explicación del porqué carecía de ese y otros papeles. Aprovechando el momento, se quejó de sus dolores, penas, hijos y esposo. El encargado, abrumado por tantas calamidades y con los ojos irritados por un llanto copioso, decidió darle un pasaporte a esa pobre sierva del Señor.

Rauda y veloz retornó al aeropuerto –otra vez en taxi, cosa que tampoco le gustó por los excesos de velocidad y vocabulario del chofer–. Compró su boleto, discutió con el vendedor la diferencia de aterrizar en Roma o en el Vaticano; tuvo que llegar el encargado de la línea aérea, con un mapa, para explicarle que tenía que llegar a Roma para después trasladarse en metro a su destino. Pero Elodia se negó a creerle: compró el boleto porque se dio cuenta que todos estaban contra ella, pero de cualquier modo, por Roma o por Singapur, ella iba a llegar.

Pidió un asiento que estuviese pegado a los motores, para marearse –así le había recomendado el taxista–, se retiró, lanzando bendiciones por las faltas de geografía cometidas por esos herejes.

El vuelo traía un retraso de tres horas, así que Elodia se instaló en el suelo del aeropuerto –previo sufrimiento, pues no pudo visitar la basílica de Guadalupe–. Mientras tejía unos zapatos para bebé, por si llegaba un nuevo nieto, se puso a rezar. A su lado se sentó un hippie (¡pobre muchacho!) que entabló plática con mi tía. Después de media hora de dramas –exclusivos de mi tía, pues ya estaba harta de que los demás le arrebataran la oportunidad de quejarse–, el muchacho se fue sin despedirse. Lo encontraron ahorcado en el baño con las agujetas de sus tenis. Al enterarse, Elodia oró por el alma del pobre desgraciado. Sabía que a los suicidas les iría muy mal en el juicio final.

Ya en el avión, rechazó los alimentos y la manta para dormir. Se quedó despierta durante todo el viaje. Siguió rezando y tejiendo. Le pidió a la azafata su maleta; ante la contundente negativa de la sobrecargo, Elodia se enojó. Pensó que era un complot del demonio, así que recitó las dos oraciones más efectivas que se sabía. Cuando aterrizaron, Elodia lloró. Se le hizo muy rápido y no se había mareado, sólo estaba media sorda. En la aduana se tardó tres horas, por cuestiones de lenguaje y porque no se había quejado con nadie en todo el viaje (su vecino de asiento, previa ingestión de cinco pastillas blancas, se había quedado dormido casi al mismo instante que el avión alzó el vuelo). La tía pensó que las cosas ya estaban mejorando, pues el hombre con el que estaba platicando gesticulaba tanto que seguramente de algo se estaba arrepintiendo de sus pecados. Elodia, en señal de agradecimiento, le regaló una veladora bendita al acalorado funcionario. Y recogió su maleta entre lágrimas. La Divina Providencia se la había devuelto.

A la salida, decidió irse hincada, para que valiera la pena el sacrificio. Arrastrando su maleta, se lanzó. Más de una vez estuvieron a punto de atropellarla, pero no hizo caso de los gritos que escapaban del averno. Ella oía música de ángeles, aunque personalmente creo que era zumbido de motores.

Al llegar a la Basílica de San Pedro, lloró. Nunca se imaginó que la antesala del Paraíso fuera tan lujosa. Pensó que era una alucinación de Satanás y continuó. Se entretuvo comprando estampitas, oraciones, velas, santos esculpidos, crucifijos, rosarios, medallas, dijes, pósters, cuadros. Los gritos de la multitud la interrumpieron.

Volteó; miró al Papa en un balcón saludándola en cámara lenta. Elodia sonrió tímidamente; el momento le resultaba confuso. Por la televisión el prelado parecía gigante, omnipotente y gritón; en este caso se veía pequeño, simple y mudo. De pronto, un sonido estridente, aplausos, gritos, cánticos, y el sucesor de San Pedro empezó a hablar. Mi tía, entonces, comprendió la magnitud de la situación. Se dejó caer al suelo con los brazos más extendidos que nunca; lo hizo con tal fuerza que se rompió un diente, mas no le importó: El representante del Señor le hablaba.

Chilló; rezó; besó el pedazo de mármol; se tragó un chicle tieso, dos colillas de cigarro y tres kilos de mugre. Estaba en las puertas de la salvación. Pensó que no merecía tanto. Imploró con más fuerza. La pisaron miles de personas y ella dio gracias por la deferencia.

Cuando por fin se levantó, tenía la cara negra de tanto mezclar llanto y tierra, aparte de un impresionante dolor de cuerpo. Su vestido estaba roto y su maleta había desaparecido. Miró hacia el balcón y no había nadie. Entonces se dirigió hacia una fuente; tomó unas botellas de vidrio de la basura y las llenó con el líquido que de ahí brotaba. Ya que el lugar era sagrado, todo servía. Aprovechando la ocasión tomó unos tragos para purificar su cuerpo. Y lo logró. Tan fuerte fue la diarrea que se pasó todo el viaje de regreso en el baño del avión. Invocando y cagando. Asustada de ver cuántos pecados tenía dentro del cuerpo, se confortó: Dios la había salvado una vez más.

A su regreso a Tuxtla Gutiérrez, Elodia se dedicó a dar pláticas en la Catedral de cómo era el cielo, de su experiencia extraterrenal y de su contacto con el Santo Pontífice. Vendió el agua en pequeños envases, asegurando que limpiaba el cuerpo de tentaciones. Todo el dinero que obtuvo lo donó a los hospitales, pues, misteriosamente, las enfermedades gastrointestinales proliferaron en la población.

Santa Elodia, su nuevo apodo, se dedicó a recorrer las poblaciones del estado para dar a conocer la palabra del Señor. Y también para vender sus estampitas tocadas por Dios. Usando su talento para los negocios, preparó su propia agua bendita y los sermones de acuerdo con lo que le dijo el Papa. Tardó tres años en su peregrinación. Fue a parar a Guatemala, de donde la deportaron por órdenes del maligno, según ella. Y regresó triunfante a casa.

Aparentemente todo volvió a la normalidad, pero algo había cambiado radicalmente en la tía. Empezó a dormir en el suelo; ayunaba dos veces a la semana; donó tres terrenos para la construcción de la iglesia de Santa Magdalena. Encabezó la caminata en contra del aborto. Recolectó fondos para la casita de tres hectáreas del obispo. Convenció al gobernador para sacar a las mujeres malas de la ciudad. Prohibió las cantinas. Le aumentó una hora a la misa del domingo, para que se captara mejor el mensaje. Volvió obligatoria la limosna. Puso letreros afuera de las iglesias, prohibiendo la entrada a mujeres vestidas indecentemente. Casó a todas las madres solteras que pudo. Los cines tuvieron que programar tres veces a la semana la película "Marcelino, pan y vino", para desgracia de todos. Casó a sus nueve hijos con mujeres decentes –eso creyó ella–. Formó la liga Pro-siervos del Altísimo. Se volvió curandera. Eligió a los gobernadores por mandato divino. Autorizó los programas en la radio y televisión. Prohibió ciertos periódicos por excesos de lenguaje e imágenes. Impuso la moda del vestido hasta los tobillos. Y siguió y siguió hasta el día de su muerte –para beneplácito de algunos.

Esa fecha sí la puedo aportar, pues fue el día que cumplí mis veinte años (6 de julio de 1970). Había organizado una fiesta; me había costado tres meses convencer a mis padres de no estar presentes, y mi tía se muere ese día.

¿Cómo murió? Muy simple, para la vida que llevó. Estaba en un rancho, dando una plática de cómo unos espíritus, con la ayuda de Dios y los extraterrestres, le habían curado los juanetes. Alzó los brazos y gritó:

–¡Ilumínalos, Señor!

Nada más que el Señor atendió en singular y de forma literal. El relámpago fue certero y ahí quedó Elodia.

Le tuvieron que hacer un ataúd especial, pues alcanzó el *rigor mortis* con los brazos extendidos.

El día de su entierro, Pro-siervos del Altísimo hicieron una manifestación para pedir su canonización; pero sus voces fueron apagadas por los rugidos de la multitud de morbosos que deseaban ser parte del acto.

Tardaron cinco días para enterrarla, pues era demasiada la gente que deseaba tocarla o arrancarle un pedazo de su vestido negro; incluso la tuvieron que sacar del hoyo una vez, ya que el gobernador llegó tarde y quería pedir un milagro –que por cierto se le cumplió; bueno, ser millonario después de político no es ningún acto divino.

Después de que el espectáculo concluyó, durante la cena familiar, mi padre rompió el silencio tan confortante que estábamos gozando con una pregunta directa a mi madre:

–Oí, ¿crees que la acepten en el cielo?

A lo que ella simplemente contestó:

–No te preocupes. Los va a convencer.

Fin.

Gracias, Chata. Confieso que estaba nerviosa, pero veo que en el fondo no son tan malos como público. Antes de que me pregunten, aclaro que el narrador es un niño, el sobrino, pues no me atreví a hacerlo desde la óptica de un hijo o, en este caso, de una hija. Digo, si alguno de mi familia llega a ver este escrito me manda quemar con leña verde en el parque central de Tuxtla Gutiérrez. Mi madre era medio famosa en el pueblo. Además, nadie estaría de acuerdo con mi visión de los hechos, pero ahí es donde entra la vena del escritor. Otra aclaración: nunca puso un pie en el Vaticano, más concretamente, jamás salió del pueblo; sin embargo, me encantó la idea de una mujer así visitando la tierra de nadie.

¿Venganza mezquina? Te estabas tardando, Güera, ya decía yo que tú tenías que decir algo, aunque fuera una estupidez. Mira, lo mejor será que no entremos en detalles porque ni me vas a entender y no tengo ganas de hacer que tu cabeza realice el ejercicio que se requiere para una discusión inteligente. Me declaro incompetente para esa proeza.

En fin, me encantaría leerles otro de mis cuentos, pero lamentablemente están resguardados en una caja de seguridad del banco. Éste siempre lo tengo a la mano porque soy muy supersticiosa. Como fue el primero, ¿me entienden, verdad?

Lo dudo… Cuatro de la mañana. Y todo sereno. Una copa más, o más bien una botella más y cerramos esta velada literaria tan llena de sorpresas. Necesito dormir aunque sea unas tres horas. Pero primero lo primero. ¿Qué hago con ustedes?

Tú, Maximiliano, tienes una cita con la cacerola. Así que no dejemos para mañana lo que se puede hacer esta misma noche. Por cierto, mis queridos amigos, antes de internarme en la cocina quiero hacer un brindis; por favor, pongan atención:

Brindo por esta noche, por mi voz, y con todo mi cariño les digo: ¡feliz año nuevo!

No se pongan sentimentales, ya no nos quedan esos papeles. ¡Ay, Dios, mis hijos! Permítanme un segundo. Mis deberes de madre me reclaman… Una manita de gato, mujer, porque a estas horas pareces alma en pena… Corre, mujer, corre, que si tus hijos no reciben tus felicitaciones te dejan de hablar durante todo el año, ¡ah!, pero eso sí, ellos son incapaces de esforzarse un poco para llamar a su madre, total, ella siempre los ha consentido, les perdona que la feliciten una semana después de su cumpleaños, no hay problema; soy y seré la madre aguantadora, la que todo lo dispensa y si no hace como que sí…

Hola, reflejo, ¿me extrañaste? No puedo contarte mucho en este momento, pero todo está sucediendo tal como fue planeado. Gracias.

111

Cuánta razón tenía Pavlov, mi voluntad es puro reflejo condicionado, toda yo soy un reflejo y las condiciones las realizan mis manos. ¿Párpados? Abajo. ¿Para qué se maquilla una mujer? Para inventarse un reflejo. ¿Estás contento, reflejo? Déjame maquillarte a ti también… Mi sombra, estampada en un espejo gracias a este lápiz labial color caoba número veintidós. Sonríe. Listo. Quédate aquí, hazlo por mí.

Ahora sí, prendamos la computadora y dejemos que mis criaturas se sorprendan ante su mamá cibernética. ¿Cómo era? Ya me acordé. Ojalá que tengan su computadora prendida todavía. Me dijeron que si me atrevía a quedar sin alma, babosos, que usara la cámara digital que me regalaron en Navidad. Vamos a ver cómo se ve esto. Primero, mi hija, que es la más sentida de todos. Qué lástima que se parezca tanto a mi suegra; por lo menos no sacó mi color, porque no me lo hubieran perdonado jamás. Nada de qué preocuparse, salió blanca como tu gente, Maximiliano… Ahí vamos.

–Hija, ¡feliz año, tesoro!… ¿Qué? Tu marido, sí, te entiendo… Hija, tengo algo que decirte… Sí, espero… Hola, niños, ¿qué hacen despiertos tan tarde?… Sí, yo también los extraño, pásenme a su madre que tengo que decirle algo importante… ¿En la cocina?, espero… Hija, qué bonita te ves con ese vestido… Sí, ya sabes cómo se ponen los hombres con dos copas de alcohol encima, no le hagas caso, déjame te cuento algo… Totalmente de acuerdo contigo, pero escúchame un segundo: ¡maté a tu papá y lo voy a cocinar!… ¿Qué? Ah, no te preocupes, después se reconcilian, ¿escuchaste lo que te dije?… No te obsesiones con eso, al rato se le olvida y tan felices como siempre; además, siempre te hace lo mismo en las fiestas… Bueno, pero… hija… hija, tengo que atender a mis invitados, nos hablamos después. Cuídate, besos para mis nietos... Sí, adiós.

No hay duda, la gente no cambia, empeora con los años. Pobrecita, ni cómo ayudarla.

El turno ahora es para el varón. Aquel que fue el motivo perfecto para que se me recriminara mi forma de educar, porque eso sí, cuando las cosas salían bien, entonces, y sólo entonces, el asno de Maximiliano decía en voz muy alta para que el vecino se enterara: ¡Ése es mi hijo! Los errores eran únicamente mi culpa: mira cómo lo educas, va a terminar como un peladito de la calle; ni te asombres que te conteste, tú se lo permites, como es tu favorito. Eterna cantaleta sobre la calidad de mi cariño y la forma cómo lo distribuía. Quiero a mis dos hijos por igual, bueno, los quiero de forma distinta, pero es amor en cualquiera de los casos... Este niño salió mezclado; afortunadamente sacó lo mejor de cada uno de nosotros: moreno, ojo verde, es un rompecorazones mi muchachito.

¿Estará en su casa?... Increíble, está y está sobrio...

–Hola, mi vida, ¡feliz año!... Gracias, igualmente, ¿qué crees? Tengo que contarte... Sí, ándale, preséntamelo rápido... Hola, joven, mucho gusto... Felicidades a usted también, gracias... No soy cortante, hijo, ¿qué quieres que les diga, hola, yerno?, además, ¿dónde quedó Sebastián?... Ah, lo típico... Te entiendo. Sí, claro... Oye, déjame te cuento lo que pasó esta noche... Sí, me acuerdo de él, fue tu primera pareja, ¿no? Está bien, que me salude... ¡Hola, Carlos, feliz año! ¡Igualmente, Carlitos, te quiero mucho!... No es burla, hijo, ¿quién te entiende?, primero que muy fría y ahora dices que me paso... Está bien, pero primero déjame te digo algo... Hijo, espérame... Hijo, ¡maté a tu padre!... Hijo, ¿me escuchaste?... No

113

estoy enojada porque cortaste con tu novio, sólo me preocupa que andes brincando de cama en cama… Bueno, sí todavía lo quieres, ¿por qué empezaste a andar con este niño?… Te entiendo, pero debes darte tiempo entre una pareja y otra… ¿Ya te vas?… besos mi amor, también yo te quiero.

Hijos, hijos, ¿quién los entiende? Ni cómo quejarme. A estas alturas del juego no me queda más que preocuparme por mi propia vida.

Entonces, apagamos la computadora… Espere, Windows se está cerrando. Me vale, apúrate que tengo un guiso pendiente.

Ya regresé. Ahora sí, a la cocina. Sin pucheros, Maximiliano, te toca tu baño caliente… No te aferres… Cuidado con la cabeza, dije cuidado… No hay duda, un muerto pesa el doble que un vivo. ¿No se supone que cuando te abandona el alma pesas menos? Bueno, a los que tienen un alma les ha de pasar eso.

No puedo. ¿Eso querías escuchar? Ya me cansé de dar vueltas en la cocina. Me estoy haciendo taruga. Pues bien, no puedo. En las películas se ve muy fácil, en los libros te lo imaginas sin ningún problema, pero no me atrevo a enterrarte el cuchillo, y ni creas que es por consideración hacia tu persona: la sola idea de cortarte me resulta de muy mal gusto. Además, no pienso pasarme tres días serruchándote para depositar tus trozos en la cacerola más grande que tengo… No cantes victoria, Maximiliano, todavía puedo hacerte daño…

¿Sabes? Ya me cansé de reclamarte. Cada vez que empiezo me duele el estómago, éste es el síntoma más claro de que tengo el cuerpo infectado de coraje. Odio sería la palabra correcta. Sí, te odio, odio verte así, tendido, desnudo, sin decir ni media palabra, como siempre, mudo y ajeno, indiferente, vulgar, prepotente, déspota. Quiero hacerte desaparecer de golpe de mis recuerdos, es lo único por lo que voy a vivir el tiempo que me quede. Te lo prometo. Cada escena de mi vida contigo se va a ir borrando poco a poco, le voy a poner ácido a todas tus imágenes, te voy a disolver en la aventura de mi nueva vida. Sí, Maximiliano, voy a comenzar desde cero y me importa un bledo lo que opines o sugieras, mis oídos hace mucho tiempo que te declararon huésped indeseable, y hoy no es la excepción.

¿Conoces este espacio? Es mi celda, la famosa cocina de tus chistes machistas: "¿Cómo se le da más libertad a una mujer? Ampliándole la cocina." Lamento informarte que estabas equivocado, en eso y en millones de cosas más; el problema es que nunca fuiste bueno para reconocer tus errores, todos podían caer, resbalar o trastabillar, pero tú no tenías contemplados esos lujos en tu esquema de vida, eras mucha pieza para el mundo, un hombre muy cabrón, como decías por las mañanas cuando te estabas rasurando. ¡Por Dios!, no eres más que una caricatura y, por cierto, mal dibujada. Todo lo que tu madre te enseñó, e insistió para que lo tomaras como las leyes sagradas de la existencia, estaba mal, Maximiliano. Sí, ella también se equivocó, lástima que haya sido yo quien cargo con sus errores. No sabes con qué gusto hubiese renunciado al puesto...

Me das asco. Me faltan sinónimos para agredirte, me falta español para golpearte. Así te insultara en tres idiomas distintos, de todos modos no voy a conseguir regresar el tiempo, lo sé, sin embargo, tengo que vengarme, es la única solución que encuentro para tanto coraje digerido a través de treinta y siete años, ¡haz cuentas, maldito!, treinta y siete años que tienen cada uno trescientos sesenta y cinco días de tu presencia, olor y molestias; multiplica, saca cuentas, suma, ¡anda!, ¡atrévete a darme un número que calme este ardor, estas ganas de patearte hasta conseguir que tu boca exhale una palabra amable o tus manos deformes realicen un gesto amoroso! Sí, no es la gran ciencia, Maximiliano, nunca quise una vida exótica o llena de emociones, todas mis apuestas siempre fueron a la tranquilidad, el amor, la comodidad, la complicidad, los buenos ratos para tener buenos recuerdos, la convivencia en paz, la comprensión, el cariño. Ya lo sé, para ti esas cosas eran pendejadas de viejas, ya lo sé, en tu casa no se acostumbraba prodigar el cariño, eso era signo de debilidad. Lo sé, siempre lo supe, y es ahí donde mi coraje se vuelve más grande, porque no sólo fuiste tú el culpable, la mayor parte de todo este problema es por mi apatía ante la vida, hablemos correctamente, por mi cobardía, por mi grandiosa cobardía, ese miedo irracional que me impidió hablarle de tú a la vida. ¡Escúchame, pendejo!, sí, veme, aquí estoy, hincada como esa vez que creí estúpidamente que ibas a entender la broma que te estaba haciendo, era yo Rapunsel, sin mis trenzas, y me había caído de mi torre; necesitaba que un hombre me alzara en vilo y me dijera que no había problema, que todo estaba bien, ¡idiota! Incluso dejé el cuento y un mapa donde te explicaba cómo se tenía que desarrollar la escena que hubiera iniciado a la celebración de nuestro tercer aniversario de bodas; pero no pudiste hacerlo, más bien jugaste el papel del bruto que no sabe leer, y te salió perfecto... Lo que me lastimó más fue tu mirada: ni siquiera había desprecio en tus ojos, era yo un vacío para tus pensamientos, un objeto que no puede ser motivo de reflexión de ningún tipo. Eso fue lo que me marcó: tu aplastante indiferencia. ¿Por qué te casaste conmigo? ¿Por qué me escogiste? Conozco la respuesta: porque era la única imbécil que nunca iba a tener el valor de echarte en cara todos tus defectos. Una vez escuché a mi madre hablar de mí con sus hermanas: "Esta niña no tiene potencial ni para calentar unas tortillas." Ésas eran sus frases amables, imagínate cuando estaba enojada. Fue eso, ¿verdad? Creíste que nunca te iba a reclamar nada, que era yo una mujer tonta, incapaz de hacer algo por sí sola. Pues malas noticias, porquería enano, tengo pésimas noticias para ti, las peores: ¡te maté, y de paso me despaché a tus amigos! Lo acepto, y ni creas que voy a terminar como personaje de Dostoievski, los Raskolnikoff me dan hueva: ni medio loco, ni confesándole al mundo un crimen, y todo porque no pueden superar la culpa que los carcome, ¡Ni lo sueñes!, lo que hice estuvo bien hecho, punto, no tengo que justificarme, no hay culpa que me atosigue, no hay crimen, crimen era vivir contigo, ni la conciencia me molesta, al contrario, cada una de mis células se preguntan por qué tardé tanto tiempo en tomar esta decisión. No hay fantasmas, Maximiliano, ni voces, ni ecos tenebrosos. Simplemente voy a tomar mis maletas y escaparé de aquí. Oíste bien, me largo, desaparezco de tu vida, me anulo entre tus vapores mortuorios, te dejo, huyo del brazo de mi otro yo, te abandono, ¡me voy, Maximiliano! ¿Me escuchas? ¡Me voy! ¡Nunca estuve aquí, jamás pude hacerlo, y ya no me importa! ¡No me importa, es lo de menos, es algo que tengo que olvidar, te prometo que lo voy a lograr, voy a enterrar todo mi pasado, todo mi puto pasado lo voy a olvidar!

Jorge Luis Borges se me adelantó: "Como ahora me borras, te borraré." Y era sabio ese hombre. Todos estos años te esmeraste en hacerme desaparecer, casi lo consigues, pero al final me adelanté. Yo soy quien te va a borrar, y lo hago con mucho gusto.

Tu pálida vida no va a alcanzar a ser recuerdo, créemelo, ni tus hijos te van a extrañar… Mi papá acostumbraba tumbarse en el jardín por las noches para dibujar lo que según sus ojos simulaban las estrellas. Siempre me decía: "El cielo es el único techo que debes cuidar, ése nunca estará en tu contra, no se cae ni necesita de pintura, y sus goteras son la sinfonía de una vida distinta." Tenía razón. Yo lo imitaba, me acostaba a su lado e intentaba unir con líneas los puntos palpitantes para formar una figura que lo sorprendiera. Pero siempre fallé. No tenía imaginación. Él hacía unos dibujos que te obligaban a soñar con mundos extraños pero confortantes. ¿Sabes una cosa?, lo quería mucho, pero nunca se lo pude decir, me ganaban las ganas de llorar y prefería posponer el momento para encontrar el lugar correcto y el momento adecuado. Estúpida de mí, se murió y nunca encontré esos meandros en mi tiempo personal. No te imaginas la cantidad de veces que quise decirle: papá, te quiero mucho… Parece un pretexto, pero mi garganta era más cobarde que yo. Con mis hijos fue más fácil, ellos se quedaban quietecitos, viéndome como si fuera yo una aparición, una diosa, el árbol favorito de su jardín. Y sonreían, lástima que nunca los viste sonreírme, les daba tanto gusto verme llegar, sí, les daba mucho gusto, se les notaba, extendían sus manitas hacía mí como si pidieran ser salvados; sólo conmigo estaban seguros y por eso me querían. Me faltó tiempo para cubrirlos de besos como hubiese querido. Siempre me sobraron las caricias, pero durante su infancia pude deshacerme de algunos de esos excedentes. A ambos los amé con pasión dolorosa. Sí, Maximiliano, amé a mis hijos por igual, tú no puedes entenderlo, pero yo los amé con dolor, con todo ese cúmulo de sentimientos que se me revolvían por dentro cuando vigilaba sus sueños. Esas miradas inocentes eran suficientes para volver a creer, la forma como se quedaban dormidos sobre mí, siempre bajo mi amparo, escondidos del mundo, pegados a mis costillas, muy junto a mí, como cuando se gestaron, era mi mejor recompensa. Tú nunca lo entenderás, y no por ser hombre, sino por haberte negado al derroche ensordecedor que es el amor.

Fíjate qué patético es todo esto, al final, ni tú ni ellos. La profesión de madre y esposa es un sacrificio continuo y estéril. Nada tengo, y con nada me voy. Tampoco eso importa ya. Sólo pido un poco de paz, estoy habituada al silencio y ahí quiero quedarme. No es contradicción, sino metáfora. En nuestro caso, por ejemplo, el silencio fue más elocuente que los reproches. Ahora voy a ser mi propia dama de compañía. No necesito a nadie más. Ya no.

Aquí te voy a enterrar. Por un momento pensé que era buena idea meterte en la lavadora junto a las bolsas de basura, o sepultarte en nuestro mal habido lecho conyugal, pero cambié de opinión. Te voy a sepultar bajo todos estos artefactos que eran como mis grilletes, o la muestra de que era yo una presidiaria por obligación casera. Cuando te encuentren, si alguien se toma la molestia de buscarte, tendrán que mover todos estos trastes que acumulé durante los largos y aburridos años de nuestro infeliz matrimonio. Licuadora, sartén, ollas, te las presento, Maximiliano, porque estoy segura de que nunca supiste ni cómo se llamaban... Aceite, ¡aceite!, no sabes la cantidad de veces que creí que si cocinaba con mucho aceite y mucha sal iba a conseguir que te enfermaras, y si corría con suerte te mandaría al hospital y, tras una enfermedad larga y dolorosa, al cementerio. Por eso siempre compré tanto aceite y especies, mira, a final de cuentas van a servir para algo, aunque sea para enterrarte... Trapos de cocina, batidora, palas de madera, tortillero, recetarios, exprimidor de jugos, es para reírse, Maximiliano, qué cantidad de cosas se han acumulado en este lugar, y todas y cada una de ellas se están disculpando a su manera conmigo, se ofrecen como piedras para tu sepultura sin que tenga que escogerlas; todo sirve, todo sirve, Maximiliano, para tapar tu cuerpo desagradable, para hacerte desaparecer. Cubiertos, vasos, platos soperos, ensaladera, ¡madre de Dios!, con todos estos trastes de plástico voy a hacerte la tumba más alta de América; bolsas para la basura, tus flores nefastas de abominable plástico, recipientes para hornear, tostador de pan, rodillo, detergente para trastes, guantes de plástico, servilletas, esto nunca supe cómo se llamaba, la olla de presión hasta arriba, y creo que es todo.

No te quejes, a mí tampoco me gusta esa música, pero me recuerda a tu hijo. Alaska y Dinarama era de sus grupos favoritos cuando era adolescente. Escucha, soy como la funcionaria asesina, ¿es ironía que esa canción sea tu marcha fúnebre? No, te lo prometo, hay algo de verdad en la letra.

Mi marido era un déspota feroz, lo quité de en medio, qué remedio, mi vocación se rebeló, me fascinó la sangre, maté al siguiente con un alambre. De noche soy otra mujer, me voy armada de cabeza a los pies, soy la funcionaria asesina, ya no me aburro jamás...

¿Qué? Por mí puedes jugar a las escondidas, nada más un favor: no aparezcas nunca... Qué bárbaro, eres idéntico a tu madre, a ella la cuidé durante toda su enfermedad, que fue larga y desgastante, ¿y sabes qué me dijo antes de morir?: Hipócrita. Ésa fue su forma de decirme gracias. Ni con un pie frente a la tumba cejó en su empeño de degradarme, es más, estoy segura de que estaba aguardando el momento preciso cuando el Diablo le clavara el tenedor para soltarme su veneno. De haber sido amigas, cosa poco probable, es más, algo prácticamente inasequible, inadmisible, utópico o quimérico, te puedo jurar que ella solita, sin que yo se lo hubiese pedido, me habría regalado una buena dosis de su cicuta corporal o mínimo me habría donado dos litros de su veneno de áspid que usaba como perfume.

Tal para cual. Pero hoy los dos están enterrados. Lejos, fuera, profundamente distantes de mi corazón y de mis ojos. Ella bajo tierra; tú, bajo los inquilinos de esta cocina. Nunca pensé que todas esas cosas estuvieran dentro de los cajones. De haber sabido… De haber sabido tantas cosas, seguramente no estaría haciendo esto. Como decía mi vecina la Gutiérrez: "señal de que algo bueno me va a pasar."

"Bien y mal, ¿no acaban siendo sinónimos en alguna parte?" Todos deberían de leer a D. H. Lawrence alguna vez; bueno, ustedes ya no pueden. Antes que nada, una disculpa: sé que es de muy mala educación dejar a los invitados solos, pero resultaba prioritario y de interés nacional el inhumar los ciento veinte kilos de desperdicio que apestaban este lugar…

Güera, si hay evidencia de que desde los tiempos del hombre de Neandertal ya enterraban a sus muertos, pues no veo por qué consideras una burla lo que estoy haciendo… Vamos a ver, primero los acomodo, porque se nota el vacío que dejó el panzudo.

Listo. La obra sigue incólume. Por cierto, ahorita que estaba en la cocina me acordé de algo muy importante. Güera, tus comentarios acerca de mi forma de vestir, peinarme o maquillarme me hirieron más de una vez. No te preocupes, sólo fue al principio; después te dividí entre infinito y se acabó. Lo importante, lo que realmente quiero discutir de frente contigo, es lo del dinero y las cosas que desaparecían de mi casa cada vez que venías de visita. Sin lágrimas ni dramas. Tuve mis dudas cuando descubrí los faltantes, y entre que culpaba a mis hijos y al resto de las visitas perdí un tiempo valioso; pero esa vez que dejé en el baño mi cruz de plata, que tanto me criticabas, cometiste un error que para mí fue como la luz al final del túnel, y no era el de Sábato. Cuando recordé que la había dejado en el baño, regresé a buscarla, pero lo encontré ocupado. Me instalé entonces en mi cuarto, desde donde se puede ver perfectamente la puerta del baño, para esperar a que saliera el inoportuno que manchaba mi sanitario. En fin, saliste tú, sonriente y nerviosa. Yo, sin esperar más, y en contra de todas las precauciones que bullían en mi cabeza acerca de los riesgos que causaría a mi salud el inhalar tus olores de evacuación, entré. Y ¡oh, sorpresa!, ¿la cruz?, bien, gracias: había desaparecido. El inodoro tenía hambre, me dijo una voz interna. O tus gordas manos la habían tomado, me indicó mi razón. Ya no hubo lugar para más divagaciones. ¿Sabes? Me enferman los cleptómanos. Por muy catalogada que esté la enfermedad, en mi pueblo se les dice pinches ratas. Nada más. Y esa cruz era de mis favoritas, que conste. Anoté cada cosa que te robaste y aquí te entrego tu lista, cabrona, para que medites sobre tus actos... ¿Que si te odio? Como decía mi prima Magdalena: hojita verde… No te esfuerces, en español significa: por supuesto.

Cinco de la mañana. Y los serenos se nos acabaron.

Asimismo, se acabó el alcohol y esta reunión. Estuve meditando sobre qué hacer con sus despojos, y después de tocar los extremos… Está bien, les cuento. Por ejemplo, a la Güera y a su marido los iba a poner dentro de su automóvil en medio de las vías del tren; obviamente, iba a esperar a que pasara el ferrocarril y se los llevara más allá de los límites de esta ciudad. También pensé en cocinarlos junto con Maximiliano, para darle más consistencia al caldo, o tirarlos por la ventana o guardarlos en el cuarto de servicio en la azotea. A ti, Chata, junto con tu boxeador marido, pretendía que aparecieran desnudos sobre Paseo de la Reforma en posiciones poco decorosas y difíciles de relatar; de igual manera, se me antojaba concretar con la piel de sus cuerpos la tan ansiada remodelación de este departamento gris. Miren que hubiese sido un parteaguas en el mundo del diseño de interiores. Acepto que esa idea me la dio un amigo por Internet… Sí, durante algún tiempo me dio por chatear con media humanidad todas las tardes. Fue una válvula de escape momentánea, pues resulta muy fácil aburrirse de ese mundo virtual. Un día te das cuenta de que todos son unos mentirosos, un grupo de solitarios que no tienen otra cosa que hacer más que inventarse nuevas personalidades en un ambiente ambiguo, pues no sólo te permite cambiar de nombre, sexo o convicciones de la misma manera que cambies de calzones, sino que también te da la oportunidad de sentirte comunicado e importante. Ahí fue donde me cayó mal Internet. De pronto, los mejores seres humanos del planeta estábamos platicando al unísono. Qué fácil, cada vez que leía mis correos las frases más floridas saturaban la bandeja de entrada. "Eres única; qué maravilla platicar con una mujer tan inteligente; eres sensacional; ¿podemos conocernos?; me caes tan bien; eres mi mejor amiga." ¡Por Dios!, ni siquiera nos conocíamos en persona, jamás nos habíamos tratado frente a una rutina o una desgracia. La red es el jardín del ego universal. Claro que es muy cómodo decir esas frases, pues no corres el riesgo de la decepción, todo queda a escala virtual. Falsos, vacíos, desesperados por comunicarse con otros seres humanos, son capaces de endulzarte el oído, o más bien los ojos, con tal de sentir por un momento que hay alguien que los escucha, alguien que los quiere. Como droga va a funcionar, se los digo yo, en un futuro muy cercano no va a quedar ser humano que no haya caído en las redes de esa adicción. Bueno, el colmo fue un tipo que insistía en que estaba enamorado de mí. Era con el que mantenía una comunicación más constante; decía ser chileno, de cuarenta y cinco años y de buen ver. ¡Ajá!, ora resulta que se enamoró de mí por mis letras. Claro que mandó su foto, pero ¿quién me asegura que era él? Capaz que era una lesbiana o un loco, o un escuincle de catorce años jugando a ser un Don Juan. No, eso no era para mí. Es cierto que estaba sola, pero de inventar fantasías incendiarias con una partida de extraños a refugiarme en mis lecturas, prefiero lo último. Además, ese chileno daba mucha lata; cuando le dije que estaba loco, que era imposible enamorarse de una persona sin tener trato con ella, me empezó a ofender. Sus correos se convirtieron en una oda a la vulgaridad, incluso dijo que me iba a matar y que con mis tripas iba a decorar mi casa para que mi marido supiera de mi infidelidad. Entonces me hastié. ¿Para qué quería disfrazar mi soledad con los correos de unos orates igualmente exiliados de todo trato social? "Infiel virtual muere por un virus que le mandan por correo electrónico." Ni como encabezado de periódico tercermundista sonaba bien. Ya lo decía Betty Prieto: "Los que crean que los destinos individuales, con ayuda de Internet, conformarán la historia colectiva del siglo XXI, están equivocados, la red de redes es la cuna del egoísmo puro y, cuando mejor nos vaya, del espíritu impersonal."

En fin, dado que se nos ha terminado el tiempo y no tengo la menor intención de realizar un esfuerzo extraordinario, he decidido que… ¡Las abejas! Casi se me olvidan. De nuevo me ausento, pero esta vez será una pausa breve. Lo prometo. No se muevan de sus lugares, lo que viene está de película.

Vamos, mujer el cuarto de tu hija tiene la sorpresa final de esta velada.

Cada vez que entro en este cuarto no puedo evitar recriminarme: ¿qué hice contigo, hija? Nada, sólo te preparé para que fueras ama de casa, mujer casada, madre de familia. Los mismos errores que mi madre cometió conmigo los repetí yo contigo. Hace años que quiero tirar tus juguetes, son la muestra plástica y palpable de que fallé. Y de qué manera fallé. La casita de muñecas, la escoba miniatura, el horno de juguete, los bebés llorones. No hay duda de que sabía cómo se condiciona a una mujer para ser una autómata, he aquí los instrumentos para que te acostumbraras a tu carácter de mujer servil, disfrazados de juguetes inofensivos, con mucho color para que no advirtieras el futuro que te amenazaba, fáciles de manejar, ingenuos en la forma, pero listos para inocular en el fondo.

Ya no puedo ni disculparme, es demasiado tarde; asumiste tu papel muy rápido, demasiado rápido diría yo. Cumpliste los dieciocho y dejaste que tu primer novio, diez años mayor que tú, te sacara de esta cueva, como si el matrimonio, con ese borracho que apenas conocías fuera la única oportunidad que te daba la vida para demostrarle al mundo que estabas lista para ejercer tu recién estrenada condición de adulta. Dieciocho años, qué bruta. Ni siquiera hiciste el esfuerzo para entrar a la universidad. ¿Para qué?, me decías con desdén. Claro que tu padre estaba feliz y de tu lado. Así se ahorraba las colegiaturas. Cuántas veces te supliqué: estudia, hija, no seas una ignorante como yo, fíjate en mi espejo. Pero no, terca y cerrera como una mula. Ni Susanita la de Quino era tan estereotipada como tú. "Hijitos, eso es lo único que quiero en la vida." Cristo redentor, la primera vez que te escuché me dieron ganas de llorar, pero de coraje. Ya sé que te agredí al no presentarme en tu boda, pero según yo era la manera correcta de decirte que no estaba de acuerdo con tu decisión y que todavía te podías arrepentir. Es más, te lo dije un día antes de tu matrimonio: yo cancelo todo, doy la cara por ti. No me escuchaste, como siempre. Saliste de esta casa feliz, como si al cruzar la puerta se cerrara un capítulo desagradable de tu vida. ¿Será por eso que nunca quisiste llevarte tu álbum de fotos a tu nueva casa? Adorabas este libro de plástico. Tu memoria de papel, le decías. Siempre que estabas triste te encerrabas a piedra y lodo para pasar una y otra vez por tus ojos estas escenas congeladas. Qué lástima, quizá si las vieras de nuevo te darías cuenta de que puedes hacer de tu presente algo tan divertido como estas historias suspendidas por un flash... Bueno, tampoco puedo idealizar tu pasado. Desde muy pequeña diste muestras de un estado anímico que sólo cabía en el renglón de la neurosis; obsesionada con las dietas, preocupada por el qué dirán, inventando enfermedades que seguramente eran híbridos de las condenas bíblicas y de las revistas médicas. ¡Dios!, todo te afectaba, incluso lo que pasaba en otros países. Si en China una jovencita había sido contagiada de herpes, a ti te salía salpullido en las axilas. Eras la clienta favorita de los hospitales. Lo sorprendente fue que nunca te encerraron en el psiquiátrico por anoréxica convulsiva o bulímica delirante. Cuando estaba embarazada de ti me diste tanta lata que por un momento pensé que me moría en el cuarto mes. La barriga me creció a tal grado que me ofrecí como prueba de que existían los globos aerostáticos de carne, hueso y exceso de líquidos. Y del parto, no quiero ni acordarme: veintidós horas de dolores, punzadas y gritos. Veintidós horas para que naciera una niña que pesó apenas un kilo ochocientos. Mira que el amor materno me cegó, pero ya desde ahí debí haber pensado que te traías algo entre manos. Si alguna vez creí que Amparo Rivelles era una exagerada en sus teledramas, contigo me retracto. La superaste, y con qué estilo. Igualita a tu abuela: soberbia, llorona y exigiendo ser el centro de la atención. Es cierto, también tardé muchas horas en parir a tu hermano, pero esas catorce horas no fueron tan dramáticas. Además, Max se hallaba listo para nacer. Yo estaba preparada, pero tu padre llegó diez horas después de que le avisé que mi fuente había reventado; según él, encontró mucho tráfico en el camino a la casa, aunque nunca me quedó claro en qué momento del trayecto se tomó ocho tequilas y dos güisquis.

Por eso no me gusta entrar en este cuarto. Siempre termino peleándome con las sombras. ¿Mi sombra o la tuya? A dos de tres caídas, la madre abyecta contra la hija histérica. ¿Quién le quitará la máscara a quién? Dos perdedoras, dos leonas sin reino… Basta. A lo que venimos, mujer. Primero, el traje protector… Listo. Ahora, las abejas. ¿Estarán despiertas?

Muchachos, ya regresé. Antes de que pregunten de qué vengo disfrazada les cuento. Esta malla que cubre mi cara y que cuelga de este monísimo sombrero sirve para que las abejas no te piquen el rostro. Los guantes, pues ya se imaginarán.

Aquí vamos. Según decía el libro, agite y deje que vuelen... Y vaya que vuelen.

Señoras y señores, he titulado este ritual. *La ceremonia de la confirmación.* Disfrútenlo sin miedo, primero, porque no les va a doler, y segundo, porque ya no pueden hacer nada al respecto. Además, la teoría es precisa: las abejas no pican un cuerpo muerto...

¿Qué creen? Están bien muertos. Cuanta razón tenía Sartre: "Morir no basta, hay que morir a tiempo."

Mis queridos amigos, si pudieran contemplar el espectáculo que estoy viendo se les saldrían las lágrimas. Qué nubes tan simbólicas. La naturaleza es sabia, con excepción de los insectos, en todo le atinó... Ya lo sé, pero a las abejas las pongo en otra clasificación. Porque lo que son las hormigas, las cucarachas y las pinches arañas, cómo les explico que no las soporto. Había una araña en esa esquina, ahí cerca del ventilador, que me odiaba, y yo a ella. Todas las mañanas me retaba, es más, se burlaba de mí. Lo que más hacía enojar al arácnido es que yo también ejercía mi desprecio en todas sus variantes. Hoy por la mañana la maté sin más consideraciones. Creo que se sorprendió de mi decisión. Pero ya era hora de que termináramos ese juego estúpido.

Espero que ninguno de mis histéricos vecinos hable con los bomberos a estas horas. Ya los escucho: ¡auxilio, hay abejas africanas volando sobre mi cabeza, salen por montones del departamento novecientos uno, del mismo departamento que habitan la loca que habla sola y su marido, el sangrón del edificio!

Ridículos, como siempre. Que se quejen, me vale; es más, ojalá que los piquen y que sean alérgicos al veneno de las abejas y se mueran de una vez por todas. Estoy segura de que me lo agradecerían en el gobierno de la ciudad. Claro, si encuentran tiempo entre sus robos y cohechos. En ese punto tengo que darte la razón, Fernando, siempre aseguraste que la política era basura, que los titiriteros ya tenían el guión listo y que a nosotros, las marionetas, nada más nos tocaba bailar al son que nos tocaran. Ni cómo debatirte ese punto.

Estimados matrimonios Pérez Zozaya y Martínez Treviño, ha llegado la hora de decirles buenas noches. Les juro que es más difícil acostumbrarse a la presencia que a la ausencia, y en este caso voy a gozar como infante el no volverlos a ver en mi vida. Sin más por el momento, y esperando que estén cómodos y satisfechos, sólo me resta reafirmar mi palabra favorita: adiós. Atentamente: yo.

Mujer, es tiempo de tomar un baño, hay que lavarse la desvelada.

¿Nos atrevemos? Te prometo que no pierdes nada... A la una, a las dos... Ya ves, no pasa nada. Desnuda, frente al espejo, desnuda, sin taparme los ojos y sin desviar la mirada, desnuda, con todo lo que soy y lo que ya no podré ser jamás. Por ejemplo, joven... Aguanté. Basta de ejercicios.

Necesito música. Algo en español, ni muy estridente ni muy soso, algo como los buenos cortes de carne: término medio.

Definitivamente, Yuri... Ese tono rojizo de cabello te quedaba bien, niña. Y esa canción de la película *Casablanca* te salió fabulosa. Es más, la podemos repetir, a ver si ahora sí me la aprendo...

El tiempo del adiós, llegó para los dos, sin una explicación...

Mis queridos jabones, voy a extrañarlos. Pero se tienen que

quedar. Prometí no llevarme nada más que lo que pueda cargar en mi cuerpo. Y eso se limita a un vestido, unos aretes, chiquitos como siempre me han gustado, mis zapatos de tacón bajo y mi bolso de mano, sin identificaciones, sin fotos ni fechas que me recuerden lo que fui. Mi nueva memoria no viene plastificada, tiene algunos saltos pero me llevo lo mejor, eso que ni qué.

Desgraciadamente este baño tiene que ser corto. Tú lo entiendes, ¿verdad regadera?

Mi entrañable reflejo, ésta es nuestra última cita. ¿Listo? Maquillaje para una mañana sin bruma… Te fijas, soy como una luna distraída, brillo de día y me oculto por las noches. Así pasó todos estos años, pero ¿sabes?, ya no me acuerdo de nada. Creo que soy más buena de lo que me imaginaba para inventar pasados.

Ahora que te veo bien, descubro que no eres tan fea. Esta doble sombra es como una premonición. No insistas, lo peor ya pasó. Voy a quemar mis cuadernos. No, ya sé qué voy a hacer con ellos. No me hagas caso, hay algo que todavía no me termina de cuadrar esta noche, pero ya me acordaré antes de salirme por esa puerta, la que está doblando a la izquierda. Según el mito griego, para llegar al centro del laberinto hay que doblar siempre a la izquierda. ¿Oportunidad o casualidad? Quizá son sinónimos. Pero tengo que llegar al centro para matar al último de mis minotauros: el miedo a la libertad. ¿Es el último de los monstruos? ¿Me voy a pasar el resto de mi vida doblando a la izquierda? No profundicemos, mujer, y termina ya.

¿Sabes? Me siento ligera. Y no como cuando te quitas el peso de alguna duda o una recriminación; es la sensación de ser otra, libre, nueva, no una copia, sino la original. Sartre me susurró una frase hace unos días, y en este momento la estoy viviendo: "A mí no me duran los rencores, y confieso todo." Pues bien, ya confesé, ahora lo que sigue.

¿Te conté del sueño que tuve anoche? Está loquísimo. Escucha: desperté y no tenía manos. Ni la derecha ni la izquierda estaban ahí. Mis brazos no terminaban en una mano con cinco dedos, uñas, cutícula y todas esas cosas que forman las falanges. Estaban cortados. No había sangre. Era como si mis brazos no hubieran terminando de ser moldeados. Un acto inconcluso, un olvido premeditado.

Volteé a mi alrededor. En medio de un lago, en una isla muy pequeña, me encontraba sentada esperando que algo sucediera. No sé qué con exactitud, pero estaba esperando. Era de noche y en el cielo, en vez de la luna, brillaba un reloj de manecillas. La hora se reflejaba en el lago: cinco y cuarto de la mañana. Pronto iba a amanecer y yo no tenía mis manos en su lugar. Las manecillas comenzaron a acelerar su paso, persiguiéndose una a la otra.

Sentí miedo. ¿Cómo iba a nadar hasta la orilla si no tenía manos? ¿Qué iba a hacer de mi vida? Sin las manos no podía escribir, no podía tocar, no podía sentir al mundo, es más, ni siquiera podría comer. Tendrían que ayudarme para todo. Era una invalidez que congelaba cada una de las ideas que nacían en mi desesperación, que aquí entre nos me recordaba a mi vida cotidiana. De pronto, sentí hormigas en la cabeza y por instinto reaccioné. No pude rascarme ni quitármelas de encima. Restregué mis brazos en la zona que reclamaba atención; necesitaba calmar ese cosquilleo que amenazaba aumentar si no hacía algo al respecto. No funcionó. Me faltaban las uñas para conseguir el efecto ideal. ¿Así era el futuro? ¿Una eterna comezón y yo sin los apéndices para remediarla?

Pensé: "Cálmate. El mundo moderno cada día es más fácil. No necesitas tus manos, seguramente existen controles especiales para manejar las cosas. Acuérdate, ya hay un programa que te permite dictarle a la computadora las palabras y las órdenes. En serio, las manos no son tan necesarias como piensas."

Sin embargo, no me convencí en absoluto. ¿Sabes por qué? Porque en el fondo yo sabía que esa voz no era la mía. Alguien estaba usando mi garganta. En ese momento no le presté más atención al asunto, pues lo urgente y lo que realmente me interesaba era que mis dos manos regresaran a su lugar, con sus dedos largos y sus uñas achatadas. Con todas esas venas tan saltadas y todas esas líneas de mi destino… ¿Ya no tenía derecho al destino?

Nadie iba a poder leerme las manos. El presente era igual de negro que ese lago, a pesar del reflejo de ese reloj acelerado. Si la luna era un reloj, ¿cómo era el Sol? Si sonaba el despertador, ¿cómo iba a silenciarlo? Dejé de hilvanar preguntas idiotas. Tenía que encontrar una salida al problema.

Esa voz extraña volvió a sonar dentro de mi cabeza. Es cierto, usaba mis tonos, me robaba las notas de mi cuerpo, pero insisto, no era yo: "Estoy esperando que pase algo, ¿qué? Usemos la razón, despide los miedos y concéntrate en una respuesta satisfactoria. Espero que pase algo, que me digan qué sigue, que me expliquen por qué a veces no pasa nada, que alguien diga cuál es la respuesta acertada. ¡Eso es! Estás en un dilema filosófico estúpido. Creo que a tu edad no te queda comportarte como un adolescente. Es más, deja a un lado las preguntas que no llevan a nada y tus manos apareceran de golpe".

Obvio fue que no me creí ni media palabra de lo que estaba pensando. Lo que sí pasó es que me enojé por esa intromisión en mi cuerpo. Para no hacerte más largo el cuento, las manecillas al fin se alcanzaron, se hicieron una sola figura y comenzaron a dar giros completos que duraban un segundo. El tiempo era expedito. El Sol no aparecía. Así era esa realidad onírica, sin Sol, sin nubes, vaya, ni siquiera una luz macilenta que me diera una esperanza de que las cosas iban a cambiar.

Recargué mi barbilla en donde, estaba segura, alguna vez estuvieron mis manos. La sensación era incómoda, pero la costumbre me pedía que lo hiciera. ¿Qué hago en medio de un lago, sentada como una figura de porcelana y sin manos? Ésa sí fue mi voz, pero no tenía esa respuesta. Ni muchas otras.

La isla comenzó a encogerse. Así, de la nada, y al hacerlo se escuchaba un ruido que me puso a sudar de miedo. Reaccioné como un robot. De un solo salto estaba de pie. La tierra se reducía y el agua ocupaba el espacio a mi alrededor con rapidez. Y mis manos no aparecían. Me puse de puntillas, para poder ganar tiempo en lo que pensaba qué hacer. "Está bien, todo indica que tienes que tirarte al agua y nadar. Tus piernas son fuertes, estoy segura de que vas a poder llegar hasta la orilla, sin manos." Y con esa frase de la voz huésped intenté consolarme.

Pero esos términos intrusos no sonaban muy convincentes, porque comencé a llorar. ¿Quién me había cortado las manos? ¿Acaso había sido yo? Instintos de suicida, lo que me faltaba, aparte de mis manos.

Sic fiet, ut minus ex crastino pendeas, si hodiern manum inieceris. Ésa era mi voz, pero ahora hablaba en latín. Si eso te suena raro, imagínate que encima de todo entendía yo perfectamente, como una experta. Te lo juro. No sé cómo lo hacía ni dónde lo había aprendido, pero lo entendía: "Si echas mano del día de hoy, dependerás menos del de mañana." Eso quiere decir la frase. ¿Cómo quería yo usar mis manos si no las tenía? Entiendo que es una forma simbólica de decir algo, pero estaba muy confundida para andar de poeta nocturna. La cosa es que el agua consumió toda la tierra, menos donde estaban las puntas de mis pies. ¿Ironías del destino? Ahora me veía obligada a tomar una decisión. En todo ese tiempo había dejado que las cosas pasaran para tener que reaccionar por la urgencia o la necesidad. Mas la vida se había detenido dos centímetros antes, justo antes de obligarme a nadar.

No podía quedarme así más tiempo, parada de puntitas y sin manos. Tarde o temprano el cansancio me vencería y habría que nadar, para llegar ¿a dónde? La orilla comenzó a alejarse. Frente a mis ojos incrédulos, el reflejo del reloj se agrandaba más y más, hasta que se distorsionó por completo.

"Sabemos lo que somos, pero no sabemos lo que podemos ser." No era mi voz, era William Shakespeare en persona que me hablaba desde la orilla. Lo más raro es que me habló en español.

Yo simplemente le contesté: ¡*Eppur, si muove!* Y te prometo que Galileo Galilei no me sopló nada al oído.

Y desperté de nuevo. En mi cama. Con mis dos manos, pegadas a sus respectivos brazos, debajo de la almohada. Y mis lágrimas haciendo un nuevo lago en las sábanas.

¿Qué significará? Tienes razón, ni para qué preocuparnos.

Bueno, como no me gustan las despedidas, mejor lo hacemos rápido. Gracias por todo, reflejo. Nos vemos en otra vida.

Cuadernos, sus hojas serán el último papel tapiz que conozca esta recámara. Por favor, hagan que los garabatos de tinta y las palabras que rimaban tapen los secretos de esta habitación absurda. ¿Me ayudan? Gracias. No se preocupen por el orden, ustedes péguense en la pared y sostengan mi mentira. Para eso sirve el otro lado de una hoja, por eso siempre escribí por un solo lado. En el fondo sabía que eso, era la manera de asegurar mi catarsis; los secretos los escribí con lápiz, los sueños con tinta roja, y las verdades las dejé que se mostraran en un azul sordo. He aquí la galería de una vida transcrita entre colores.

¡Cuántas hojas, por Dios! Pero todas sirven. Cada una es parte de este crucigrama, cada oración forma un rompecabezas que sólo yo puedo armar, aunque ya no quiera hacerlo jamás. El piso también debe cubrirse con estas hojas. Sí, señor, el piso, las paredes, el techo, la ventana, las cortinas, los muebles, el espejo, la entrada que parecía una salida de la realidad, las lámparas que nunca alcanzaron a iluminar una idea concreta, el ventilador que no pudo espantar mis demonios. Para todos hay, para cada uno tengo una hoja con letras o dibujos. Ajustará, lo sé, ajustará porque son muchos años, muchas cuartillas que parecen mudas, pero no lo son. Claro que va a ajustar, todo este cementerio quedará disimulado en esta mar de papel, bajo los kilos de mis frases repetitivas. ¿Lo ven? Claro que sí, es obvio, es lógico, me falta espacio para tantas hojas; no importa, una encima de otra.

Niño, eres el último de los mohicanos. Tienes muchas hojas en blanco y ésas también servirán. La cama, ahí está su objetivo, hojas, cúbranla con el silencio o la suposición que da una página en blanco, sepulten esa cama por mí, por favor. Elena Garro decía que el papel en blanco le hacía gestos; pues hagan todos los gestos que quieran, las muecas o las contracciones de sus facciones se valen en este momento. Todas, todas sirven, aun las portadas, vamos, tapen, cubran, dejen muy por debajo la otra realidad. Ya no quiero ver nada que me recuerde mi pasado, ya no tengo pasado, entiéndanlo, ayúdenme, no puedo irme si esto no queda perfectamente tapiado, como aquellas monjas a las que escondían detrás de una pared para que sus pecados no exhibieran los deseos perversos de los demás. Así, empareden lo que creí ser.

Listo. ¿Dónde estoy? ¿Es el bosque de papel? Gracias, han hecho un excelente trabajo.

Vámonos. El tren de las seis está a punto de abandonar la estación, pasajeros con boletos marcados para la nada, favor de tomar sus asientos y disfrutar un viaje que promete ser largo y sorprendente.

Con que no me pase lo que al Titanic, después de tanto ruido, y su verdadera despedida fue en el fondo del mar. No, yo sí traigo suficientes botes salvavidas. Además, viví con un *iceberg* muchos años, no creo que los de la calle me hundan.

Se nos va el tren, mujer, apúrate… ¿Qué? ¿Quién me habla? Ah, las fotos del pasillo. Lo siento, no puedo llevarlas. En serio, ni la pequeña cabe en mi bolso. No es pretexto, además, ¿para qué quiero llevarme las fotografías de unos extraños? Pierden su tiempo, no me convencerán. Hace muchos años que mis hijos son unos hologramas, y nunca me casé, les juro por lo más sagrado que no sé quién es ese gordo, créanme: Ya está lleno mi bolso… Sí, sí me llevo mi cuento, no se preocupen, no olvido nada.

¿Abejas en la sala? Esta casa parece manicomio: el orfanato de los vesánicos. Mejor me voy.

El aparato de sonido prendido, qué bárbaros, en esta vivienda carecen de la educación cívica más elemental. ¡Grita,

María Callas, grita tan fuerte como quieras! Éstos, por lo menos, ya no se van a despertar.

Puerta a la vista, puerta acercándose… mi mano cubriendo la perilla.

¿Y?

¡Por Dios, soy una estatua! No te acobardes, mujer, no ahorita. Sólo tienes que girarla hacia la derecha, dejar que tus pies te guíen y no voltear atrás.

Así es la fórmula. Funciona, te juro que sí. Cómo te explico que si no te mueves toda la sal de este mundo te va a cubrir de los pies a la cabeza. Ya sé que hace años que dejaste de tenerle miedo a las versiones bíblicas, pero entiende que dije una metáfora, no seas bruta y terca.

"No habrá nunca una puerta. Estás adentro, y el alcázar abarca el universo." ¡Ay, Borges!, aquí hay una puerta, ¿será la indicada? ¿Es real? Dime que sí. Una palabra tuya y le hago caso a Neil Armstrong con aquello del gran salto para mi humanidad… Las aurículas de mi corazón están en huelga. A buena hora les da por ser luchadoras sociales a estas pendejas… Azúzame el ego, Flaubert; rétame, Poniatowska; Mauriac, invítame a pasear entre las víboras; Proust, Goethe, Alighieri, Joyce, Rocinante, Viernes, ¡alguien abra la boca, por favor! No se queden callados, debe haber una frase que me despierte de esta hibernación, coño, háganme siquiera un enema con sus verbos para que este pinche pánico se vaya de mi interior, engatúsenme con sus diatribas culturales, engolosínenme con alguna ilusión verbal, rompan el conjuro con sus céfiros literarios… ¡Carajo, hagan algo!

Tranquila, mujer. Estás sola, pero no estás tonta. Piensa, utiliza tus neuronas, sácale provecho a la masa gris, esta puerta no es un sarcófago egipcio, no hay maldiciones eternas allá afuera, anímate, no estás violando ningún secreto. Piénsalo así: las cosas son al revés, ahorita estás parada en la tumba e intentas salir a la superficie, a la luz, al aire. Sí, estás dentro de una catacumba, en el fondo de una pirámide egipcia o maya, nada más que aquí no hay reyes ni gente decente, sino los bastardos que van a contagiarte con sus putrefacciones. Es simple, es… obvio. Ya sé que falta.

Qué bruta eres. Lo más elemental y tú lo olvidas. Bueno está por acelerada, bien decía tu padre: "El haragán y el mezquino caminan dos veces el camino." ¿Así era? Luego investigas, mueve los huesos.

Sin pataleos, entra en ese cuarto y haz lo que tengas que hacer. Anda, cierra los ojos, total, ya sabes dónde está.

Ya puedes abrirlos. Hola, muñeca fea. Hace una eternidad que no te veía. ¿Quién fue mi padrino de muñeca? Ya no me acuerdo. Bellísimos quince años, sólo se cumplen una vez, para fortuna de muchas. Lo bueno es que Altagracia no quiso fiesta de quince años; según ella, estaba más gorda que nunca y esos vestidos te hacían lucir como piñata. Mejor así. Yo aborrecí mi fiesta. Fue un exceso, en todos los sentidos. ¿Por qué guardé la muñeca entonces? No hay duda, en alguna parte de mi conciencia el sadomasoquismo late con fuerza aún.

Menos queja. A final de cuentas, esta representación de mi niñez extraviada, socialmente hablando, servirá para el ritual.

Mejor ni los saludes, eres capaz de quedarte platicando con ellos otra hora. Vamos a ver, ¿dónde la pongo? Donde quepa, mujer, ya no busques pretextos, hazlo y punto final.

Se ve muy sola. Bueno, más bien se ve muy fea. ¿A quién se le ocurre regalar una muñeca rubia cuando la festejada es morena? Estamos mal, muy mal. En fin, algo falta.

Un abucheo general para esta idiota. Gracias. La lápida, mujer, es parte esencial de toda tumba. Pareces nueva.

¿Un cojín basta? Si ya estás en esto, pues que quede bien. La cabecera de mi cama. ¡Cuánta inspiración, por Dios! Ya me cansé de la Callas. María del Sol es otra María, pero a ésta sí le entiendo lo que canta. Mujer, hace mucho que no te ponía, tú sabrás perdonar el desliz. Canta, mujer, sé la voz de mis pompas fúnebres.

Y ahí voy de nuevo. Rapidito y sin pensarlo mucho. ¿En qué quedamos? ¡Entra ya!

Yuri se va a quedar afónica, pero ya no puedo perder el tiempo. Cabecera, ven a mí…

Esta lápida pesa lo que mis años de casada. ¿Casada? ¿Yo?

Ya está. Por fin la muñeca descansa en paz.

"No tengo necesidad de despedirme, nadie me ha extrañado jamás y hace mucho tiempo que me fui. Yo, la peor de todas."

Este plumón rojo hace que cualquier epitafio suene *ex cáthedra*.

Media vuelta, ¡ya! Flanco izquierdo, ¡ya!

La puerta se aproxima, mi cuerpo lo siente. La puerta se burla, mi mano en la perilla. Y la puerta se abre.

Y la puerta se azota a mis espaldas. ¿Fue el viento? ¿Fueron las abejas? No importa. Estás fuera, mujer. Abre los ojos, úsalos, estás con un pie en el principio, estás a punto de iniciar tu vereda. Cuánta razón tenía doña Ana Mely: "Morir es la forma más efectiva de irse."

¿Qué nombre vas a usar ahora? Acéptalo, no tienes ni la más pálida idea. Primer pendiente: tengo que comprar un libro de nombres para bebé. Son ridículos, pero creo que para este nacimiento me va a servir de mucho.

Aquí está el elevador. ¿Estabas esperándome chiquito? Desde hace un siglo, mujer, desde que lo pensaste por primera vez.

Así va a comenzar mi cuento:

... Una mujer recién bañada, que no puede dejar de sonreír, conforme es tragada por los pisos de un edificio enorme sueña que alguna vez estuvo atrapada en un castillo, cuyos sirvientes la atosigaban todos los viernes por la noche mientras un rey gritaba sapos que intentaban lucir como verdades. Pero esa mujer sabe que en el fondo todo eso es una mentira que su cabeza le regaló una noche de invierno, para que pudiera aprender a caminar sola...

No.

... Una mujer, que se deja abrazar por un elevador cómplice, baja para poder subir al fin a una vida completa. Y sonríe, porque ya no tiene secretos que la atormenten ni fantasmas que la obliguen a cenar los viernes en pareja...

Mejor:

... Seis cuerpos se consumen dentro de una tumba que no sabe sudar lamentos. La tumba está clausurada, la luz ya no es invitada de honor. Tres mujeres (una, ciento por ciento de plástico; otra, ochenta por ciento, y la tercera, ciento un por ciento aceitosa) y tres hombres se disputan la oportunidad de pudrirse. Un feto se gesta dentro de un elevador, se mueve, se retuerce, sabe que está a punto de abandonar aquella oscuridad a la que fue orillado por su falta de decisión.

No, muy kafkiano.

... El principio es la mitad del todo. Pitágoras... La historia de mi marido se agota en dos párrafos; la mía se anula en una secuencia torpe de silencios mal entendidos. Juntos sumamos olvido e ironía. Juntos no fuimos nada. De aquí que todavía no sepa nada del amor. De aquí que desear sea un verbo incompleto, envuelto en la niebla de mis propios deseos, perdido en una mirada que no se refleja. Mi voz será para siempre un eco pasajero, escondida en el laberinto de los recuerdos, malgastada en su propia búsqueda. Y con todas las horas que me quedan por tejer, haré una eternidad para entender, donde los meses tendrán nombres de animales y los días cara de mujer…

¿Sí?

Viernes social
se terminó de imprimir en abril de 2003.
Tiraje: mil ejemplares.